KB119530

스물아홉 생일,

1 년 　　　 후

죽 　 기 　 로

결 심 했 다

스물아홉 생일,
1년 후
죽기로
결심했다

하야마 아마리 지음
장은주 옮김

위즈덤하우스

나와 같이 힘든 상황에 놓인
한국의 젊은이들에게

스물아홉은 내 인생의 터닝포인트였다.

어렸을 때 꿈꿨던 미래는 그 어디에도 없었고, 나는 안정된 직장과 애인, 돈······ 뭐 하나 갖추지 못한 인생에 절망하고 있었다. 절망이 너무나 큰 나머지, 인생을 끝내고 싶은 마음뿐이었고, 스스로 '1년의 삶'이라는 시한부 인생을 선고하게 되었다.

그래서 인생의 끝을 결심하고 나서야, 나는 그 준비를 하기 위해 펼쳐 본 적 없는 날개를 펼치기 시작했던 것이다. 그러자 그때부터 다양한 만남과 구원의 말들을 얻었고, 새로운 나 자신을 찾을 수 있었다.

이 책은 그러한 경험을 바탕으로 한 '스물아홉 생일부터 1년간의 치열한 기록'이다.

절망에 빠져 있을 때는 나 혼자만 힘들다고 생각되어 그 괴로움이 영원할 것만 같지만, 사실은 그렇지 않다.

혹시 지금 인생에 절망하고 있다면, 아직 펼쳐 보지 않은 날개를 한번 찾아 보는 게 어떨까? 그리고 저돌적으로 그 다음을 향해 달려 나가다 보면, 반드시 뭔가 얻는 게 있으리라 믿는다.

한국에도 취업난이 심각해 많은 젊은이들이 힘들어하고 있다고 들었다. 내 이야기가 조금이라도 그들에게 힘이 된다면 행복하겠다.

D-12개월

어차피 죽을 거라면 서른이 되기 직전, 스물아홉의 마지막 날. '이보다 더 좋을 순 없다'고 생각되는 그 멋진 순간을 맛본 뒤에 죽는 거야. 카지노에서 전부를 잃어도 상관없다. 내 인생의 전부를 걸고 승부를 펼쳐 보는 거다. 그리고 땅, 서른이 되는 날 미련 없이 목숨을 끊는다.

'1년, 내게 주어진 날들은 앞으로 1년이야.'

그날부터 내 인생의 카운트다운이 시작되었다.

조용한 절망 속에
스물아홉은 온다

"Happy birthday to me."

스물아홉, 내 생일을 축하한다. 3평짜리 원룸에 혼자 덩그러니 앉아 노래를 부른다. 서늘한 형광등 불빛이 낡은 장판 구석구석을 비추고 있다. 사방을 둘러싼 하얀 벽에는 그 흔한 달력이나 사진 한 장조차 걸려 있지 않다.

"Happy birthday to me."

동네 편의점에서 사온 조각 케이크엔 달랑 촛불 하나. 원래라면 큰 초 두 개, 작은 초 아홉 개를 꽂아야 하지만 그럴 자리가 없다. 어쩔 수 없이 한 개만 꽂고 노래를 부른다.

"Happy birthday to······ me."

이 노래가 이렇게 긴 줄 몰랐다. 간신히 다 부르고 나서 '후' 한숨으로 촛불을 끈다. 그래도 생일이니까 힘을 내어 중얼거려 본다.

"축하해!"

스물아홉 번째 생일, 이제 혼자만의 파티를 시작한다.

혼자인 건 괜찮다. 작년에도 재작년에도 혼자였으니까.

그래, 괜찮다.

일어서서 물끄러미 방을 둘러본다. 냉장고, 텔레비전, 나무선 반이 한쪽 벽으로 줄지어 있고, 한가운데에는 하얀 접이식 테이블이 덩그러니 놓여 있다. 밋밋하고 살풍경한 방 옆으론 작은 주방이 칸막이에 가려 있다. 일체형 욕실이 딸린 비좁은 원룸이지만, 회사와 집만 오가는 싱글에게는 충분하다.

장마가 끝난 뒤 무더위 직전의 후덥지근한 공기가 방 안에 가득했다. 딱 허리 높이 창까지 무릎걸음으로 다가가 초록색 무지 커튼을 젖히고 창문을 활짝 열었다. 뜨거운 바람만 쏟아져 들어왔다. 구형 붙박이 에어컨이 있지만 전기요금이 무서워 켤 엄두도 못 낸다. 덥고 끈적끈적하지만 그래도 생일이니까 파티를 시작해 보자.

습관처럼 텔레비전을 켜자 예능 프로그램 속 등장인물들이 호들갑스럽게 떠들고 있다. 방 안이 시끌벅적해진 기분이다. 이렇다 할 취미도 없다 보니 회사에서 돌아오면 배경음악처럼 텔레비전을 켜두곤 한다. 안 그러면 이 방은 무서울 정도로 적막하다.

주방에서 접시와 포크를 가져와 테이블에 올려두고 조각 케이크 하나로 만찬을 준비한다. 멋진 장소에서 생일 파티를 한다 해도 축하해 줄 만한 친구 따윈 내게 없다. 뭐 그렇다고 회사에서 미운털이 박혔다거나 동료에게 따돌림 당하는 것도 아니다. 비록 파견사원이지만 그래도 함께 점심 먹을 동료 정도는 있다. 하지만 그건 회사에 있을 때뿐, 퇴근 후나 휴일에 따로 만나서 놀만한 사이는 아니다.

외톨이는 아니지만 혼자인 사람, 파견사원은 원래 그렇다.

나는 3개월마다 직장이 바뀐다. "잘 부탁합니다" 인사하고 나면, 얼마 안 가 "안녕히 계세요" 하고 떠난다. '어차피 금방 헤어질 텐데' 하는 생각이 늘 그림자처럼 따라다닌다. 정사원들과 개인적으로 교류할 일도 없지만, 설령 함께 어울린들 그들처럼 즐길 여유는 없다. 정사원과 파견사원의 임금 격차는 그만큼 크다.

테이블 위에 내던져 둔 우편물이 눈에 들어온다. 언제 봐도 흉물스러운 공공요금 독촉장들이다. 혼자서 낯선 곳을 전전하며 죽어라 일해도 독촉장은 늘 쌓여만 간다. 애써 무시하고 포크를 들어 케이크로 가져간다. 좋아하는 것부터 먹는 버릇 때문에 맨 먼저 케이크 위에 얹힌 탐스러운 딸기를 찍었다. 지그시 눈을 감고 입에 넣으려는 순간, 딸기가 툭 하고 떨어지고 말았다.

"안 돼!"

너무 순식간이라 손 쓸 틈도 없이 딸기가 바닥에 뒹굴었다. 나는 반사적으로 손을 쑥 뻗었다.

'바로 주우면 먹을 수 있어.'

딸기를 집어 들고 입으로 후후 불다 보니 크림 범벅이 된 딸기에 긴 머리카락 한 올이 달라붙어 있다.

'괜찮아, 괜찮아. 씻으면 돼.'

나는 스스로 최면을 걸며 싱크대로 달려갔다. 허리를 구부리고 수도꼭지를 트는 순간, 갑자기 마음의 끈이 끊어졌다.

'뭐 하는 거니, 너…….'

스테인리스 싱크대에 쌓인 설거지 더미에 내 얼굴이 비쳤다. 바닥에 떨어져 더러워진 딸기를 기어코 주워 먹으려는 나, 뒤룩뒤룩 살 찐 서른 즈음의 외톨박이 여자, 그것이 지금의 나였다.

적어도 오늘만큼은 안 울려고 했다. 하지만 내 의지와는 상관없이 뜨거운 눈물이 볼 위로 주르륵 타고 내리기 시작했다. '안 돼!'라고 생각했지만 이미 늦었다. 그 한 줄기를 시작으로 그동안 억누르고 있던 울음이 한꺼번에 터지기 시작했다. 눈물은 흐르고 또 흘러 도저히 멈출 수가 없었다.

텔레비전 속의 연예인들은 박수를 치며 웃고 있었다.

* * *

나는 스물아홉이다.

나는 뚱뚱하고 못생겼다.

나는 혼자다.

나는 취미도, 특기도 없다.

나는 매일 벌벌 떨면서 간신히 입에 풀칠할 만큼만 벌고 있다.

어쩌다가 이렇게 된 걸까?

내가 이렇게도 형편없는 인간이었나?

처음엔 물이 뜨겁지 않았다. 그래서 괜찮은 줄 알았다. 하지만 어느 순간, 내가 끓는 물에 들어온 개구리라는 사실을 깨닫게 됐다. 아무리 발버둥 쳐도 현재의 삶에서 벗어나기 어려워진 것이다.

사실 돌이켜보면 20대 초반까지는 그런대로 괜찮았다. 상위권 대학을 정확히 4년 만에 졸업했고, 얼어붙은 취업 한파 속에서도 한 금융회사 정사원으로 당당히 입사하기까지 했다. 하지만 거기까지였다. 나는 회사 분위기에 끝내 적응하지 못하고 1년도 채 못 돼 그만두고 말았다. 그때부터 나에게 '현실'이라는 이름의 창살이 둘러쳐지기 시작했다.

계약사원으로 재취업한 회사에서는 얼마 안 가 계약이 중단되는 바람에 이후 계속해서 파견사원으로 일해야 했다. 20대 후반이 되어서야 나는 정사원이라는 메리트가 얼마나 중요한지 알게 되었다. 그때부터 다시 정사원이 되기 위해 직종을 가리지 않고 되는대로 이력서를 수백 군데나 뿌리고 다녔다. 하지만 경기는 계속 나빠지고, 이렇다 할 경험도 자격도 없는 나에게 돌아오는 것은 불합격 통지서뿐이었다.

기업 측은 입을 모아 이렇게 말했다.

"우린 경력자를 원합니다."

대체 경력이란 건 어디서 어떻게 쌓아야 한단 말인가? 파견처의 기업명은 이력서에도 쓰지 못한다. 자격증을 따고 싶지만 그럴 만한 자금도 시간도 없었다.

나는 20대 초반에 저질렀던 그 안이하고 어리석었던 행동을 두고두고 후회했다. 돌아가고 싶다고 해서 쉽게 돌아갈 수 있는 곳이 아니란 걸 모르고, 정사원이라는 그 엄청난 자리를 그토록 쉽게 내팽개쳤던 지난날의 내가 미치도록 미웠다.

물론 파견사원에게도 메리트는 있다. 융통성 있게 시간을 조절하고 근무 조건을 선택할 수도 있다. 하지만 나는 원해서 파견사원을 하고 있는 게 아니다. '3개월 후에는 계약을 연장할 수 있을까?', '이것마저 잘리면 어떡하지?' 하고 마음 졸이며 사는 게 너무 힘들었다.

하긴 지금은 워낙 불황이라 정사원이라고 해서 해고되지 않는다는 보장도 없지만, 어쨌든 맨 먼저 잘리는 것은 파견사원이다. 게다가 파견사원은 수입이 너무 적다. 매월 17만 엔 정도에 보너스는 제로, 교통비 따윈 꿈도 못 꾼다.

황금연휴니 여름휴가니 세상 사람들 모두가 고대하는 휴가도 내게는 사활이 걸린 문제다. 어디론가 떠날 돈도 없을 뿐더러, 휴가 동안엔 급여도 나오지 않는다. 결국 온 세상이 여행이다 뭐다 들떠 있는 동안에도 나는 마냥 집에 틀어박혀 지낼 수밖에 없었다. 그런데도 휴가 기간이 끝날 때쯤엔 늘 생활비가 모자라 허덕였다.

최근 들어 '워킹 푸어'라는 말이 나돌고 있지만 그 기준은 보통 세금을 포함한 연수입이 200만 엔 이하라고 한다. 사실 난 그 수입에는 간신히 턱걸이를 할 정도지만, 그건 1년 내내 파견처가 끊이지 않을 때의 얘기다. 파견처가 끊기면 나도 연수입이 줄어들어 여지없이 그 범주에 속하게 된다.

이제 1년 뒤면 서른, 그러나 통장잔고는 마이너스에 저축은 언감생심이다. 하루하루가 불안하고 또 불안해서 견딜 수가 없다. 세상은 거대한 유리거울 안쪽에 있고, 나 혼자 거울 바깥에서 발버둥치는 것만 같다.

어쩌다가 이렇게 된 걸까? 20대 초반에 회사를 그만뒀기 때문에 이렇게 된 걸까? 정말 그때 그 한 번의 잘못된 선택만으로 이 지경까지 오게 된 걸까? 그건 너무 억울하지 않은가? 아니, 더 큰 원인이 있겠지.

그럼 대체 어디서부터 어떻게 잘못된 걸까.

'하고 싶은 게 없다'는 죄

있어도 그만, 없어도 그만인 그런 아이가 있었다. 뭔가를 아주 잘하는 것도, 그렇다고 아주 못하는 것도 아니면서 아무런 의욕도 없는 그런 아이. 그게 나였다. 평범해도 그렇게 평범할 수가 없었다.

나는 어릴 때 피아노도 치고 수영도 하고 주산도 배웠다. 하지만 하고 싶어서 한 게 아니라 남들이 다 하니까 그냥 따라했던 것뿐이다. 물론 그런 배움을 통해서 잠재되어 있던 재능을 발휘하게 되는 경우도 있다지만, 나에겐 그런 싹이 전혀 보이지 않았다. 재능이란 '잘하는 것'이 아니라 '하고 싶은 것'을 뜻하니까.

그러다 보니 차츰 배우는 데 싫증을 내다가 결국 죄다 그만두고 말았다. 그래도 부모님한테 혼났던 기억은 없다. 부모님은 언제나 그렇듯이 늘 자상하게 나를 지켜봐 주었다.

어느 것 하나라도 이렇다 할 흥미가 없으니 특별히 잘하는 것도 있을 리가 없었다. 단, 공부만은 예외였다. 타고난 몸치는 어쩔 수 없어도 공부라면 웬만큼 했다. 그래서 학원도 다니고 집에서도 꽤 열심히 공부했다. 성적이 올라갈 때마다 부모님은 기뻐했고 나 역시 덩달아 기뻤다. 하지만 그것도 중학교 때까지였다. 일류 고등학교에 입학하자마자 긴장이 확 풀린 탓인지 수업 진도를 따라가지 못했다. 성적은 뚝뚝 떨어지고 눈 깜짝할 사이에 나는 수업을 전혀 이해 못하는 열등생이 되어 버리고 말았다.

다른 건 몰라도 공부만큼은 웬만큼 한다던 믿음마저 잃게 된 후로 나는 공부와 담을 쌓기 시작했다. 여기엔 '공부를 하건 수업을 등한시하건 모든 것은 개인의 자유'라는 지극히 자율적인 학교의 방침도 한몫했다. 나는 요리조리 출석 일수를 채워 가며 '간섭받지 않는 자유로움'을 오히려 적극적으로 악용했다. 그런 식으로 고교 1, 2학년 시절을 보내고 3학년이 되어 '진로 희망' 용지와 마주했을 때 나는 눈앞이 깜깜했다.

'더 이상 공부는 싫다. 그렇다고 벌써부터 일하는 것도 싫다.'

그렇게 말도 안 되는 논리로 나는 진학을 희망했다. 진학을 하기로 했으니 희망 학교를 정해야만 했다. 하지만 꼭 가고 싶거나 끌리는 학교는 없었다.

'그래, 오빠가 나온 대학에 가자. 그럼 뭔가 설레고 신나는 일이 생길지도 몰라.'

나보다 여덟 살 많은 오빠는 이미 사회인이 되어 독립했지만, 워낙 사교적이라 많은 친구들과 어울리며 즐거운 대학시절을 보냈었다. 나도 막연히 그런 대학생활을 하고 싶었다.

그런 유치한 동기로 나는 오빠가 다녔던 그 어려운 사립대학에 뜻을 두었다. 학교 수업도 제대로 따라가지 못하던 내가 명문대를 목표로 삼았으니 대체 누가 진지하게 받아들였을까. 그래도 나는 그때부터 혼자서 고교 과정을 처음부터 다시 밟기 시작했다. 그리고 거짓말처럼 오빠와 같은 대학에 입학할 수 있었다.

* * *

가끔은 '아무런 열정도 설렘도 없는' 사람이 공부를 잘하는 경우가 있다. 친구들과 어울려 놀거나 음악, 미술, 춤, 게임 같은 것들에 그다지 흥미를 못 느끼다 보니 그저 책상 앞에 앉아 공부만 하는 그 지루한 시간을 비교적 덤덤히 이어갈 수 있는 것이다. 불러내는 친구도 없고 별다른 유혹거리도 없이 나는 그냥 입시를 위해 공부를 해나갈 수 있었다.

훗날 사회에 나가서야 알게 된 사실이지만, 세상에는 그런 식으로 '공부만' 잘했던 사람이 꽤 많다. 자기가 뭘 좋아하고 뭘 잘하는지도 모른 채 고속열차처럼 학창시절을 내달리다가 어느 날 '툭' 하고 세상에 내던져진 그런 사람들 말이다.

얼마나 황당한지 모른다. 학교에서야 정말 잘나갔지만 사회는 공부와는 전혀 다른 것들로 굴러가고 있지 않은가? 게다가 사회에서 필요한 것, 예컨대 '관계의 기술' 같은 것들은 책으로 공부한다고 해서 쉽게 배울 수 있는 게 아니다. 그건 어릴 때 친구들과 엎치락뒤치락하면서 자연스럽게 몸에 배게 되는 '몸의 습관'과도 같은 것들이다.

그것보다 더 당황스러운 것은 사회에 나가서야 비로소 학교 때는 보이지 않던 '의지의 인간'들이 보인다는 것이다. 그들은 정말로 자기가 좋아하는 것을 하기 위해 살아가는 사람들이다. 그들은 말버릇처럼 '난 기필코 이 일을 꼭 해내고야 말 테야!'라고 외치며 살아간다. 잘하고 못하고가 중요한 게 아니다. 그런 절실함이 놀라울 따름이다. 고교 3학년, 그저 오빠가 다녔던 대학에 진학하겠다는 막연한 생각만으로 공부를 했던 나에게 그런 '가슴 떨리는 꿈' 따위는 전혀 없었다. 그게 문제였다. 그것도 아주 큰 문제.

나에게 죄가 있다면 그건 아마 '하고 싶은 게 없다'는 죄일 것이다.

세상은 널
돌봐줄 의무가 없다

지방에서만 살았던 젊은이들이 대도시에 가면 무조건 재미난 일들이 가득할 거라 믿는 것처럼, 나 역시 어떻게든 대학만 가면 마냥 신나고 즐거울 줄 알았다. 웃기는 소리다.

그저 약간의 자유가 더 늘었을 뿐 대학도 고교 생활의 연장이나 다름없었다. 각자 좋아하는 강의를 자율적으로 선택해 이수하고, 학점만 따면 출석 일수는 크게 문제 삼지 않겠다는 대강당 수업도 있었다. 나처럼 개인주의 성향이 강한 사람은 같은 과 친구들이 모이는 전공 수업 이외에는 종일 한마디도 하지 않고 보내는 날이 허다했다. 게다가 목표도 없이 적당히 선택한 과라서 관심 가는 수업도 없었고, 자극을 찾아 들어간 동아리 역시 흥미를 갖지 못했다. 나는 도쿄 근교의 집에서 시내의 대학까지 그저 시계추처럼 왔다 갔다 하며 하루하루 맹물처럼 살았다.

그렇게 무미건조하던 대학생활이 180도 바뀌게 된 것은 남자 친구가 생기면서부터였다. 같은 과 친구가 마련한 소개팅 자리에서 처음 그를 봤을 때 나는 '괜히 나왔구나' 하고 생각했다. 체구는 왜소했고 얼굴은 '기준치 미달'이었기 때문이다. 나는 아주 형식적으로 인사를 하고 앉았다. 그리고 얼른 일어날 핑계거리만 찾기 시작했다. 그런데 그가 도쿄대학 재학생이라는 사실을 알고 난 뒤부터 생각이 바뀌어 버렸다. 사람이 달라 보였던 것이다.

'그래, 비록 내 이상형은 아니지만 그래도 도쿄대생이잖아?'

나에게 '도쿄대생'이라는 브랜드는 그의 부족한 외모까지 엄청 빛나 보이게 할 만큼 매력적인 것이었다. 좀 더 솔직히 말하면, 앞으로 설령 경기가 바닥을 친다 해도 도쿄대생인 그와 함께라면 나의 미래도 안전하지 않을까 하는 착각에 빠져 있었던 것이다. 나는 그만큼 속물적이고 한심하며 단순 무지한 사고방식의 소유자였다.

나는 적극적으로 그와 사귀기 시작했다. 남들처럼 영화도 보고 점심도 같이 먹고 함께 여행도 떠났다. 누가 나에게 대학시절 동안 무엇을 했느냐고 묻는다면 별로 할 말이 없다. 공부를 한 것도 아니고 나의 꿈과 미래를 위해 구체적인 준비를 한 것도 아니었다. 그저 시간만 나면 남자친구와 데이트를 하고 강의 시간이 되면 '그래야 하니까' 그저 책상 앞에 앉아 있었다. 그러다 보니 어느새 졸업할 때가 되었다. 친구들을 만나면 다들 졸업 후의 인생에 대해 수다를 떨었지만 난 잠자코 있기만 했다. 나의 미래는 이미 다 그려 놨기 때문이었다.

'졸업하고 스물다섯쯤에 결혼한다. 그때쯤이면 그 사람도 어느 위치까지 올라가 있겠지? 그럼 난 임시로 취업했던 회사에서 모두의 축복을 받으며 퇴사하고 전업주부가 되는 거야.'

그렇게 장밋빛 미래를 설계해 놓았기에 나는 친구들처럼 불안해할 필요가 없었다. 그래서 졸업한 뒤 운 좋게 취직한 회사를 '적응 안 된다'는 이유만으로 미련 없이 그만뒀을 때도 전혀 위기의식이 느껴지지 않았다.

'어차피 결혼할 건데 뭐…….'

곧이어 정사원이 아닌 계약사원을 선택한 것도 같은 이유에서였다. 나는 전혀 불안하지 않았고, 치열하게 살아야 할 이유도 없었다. 스물다섯 살이 되던 해 어느 화창한 봄날, 그가 나를 불러냈다. 그 즈음 나는 이제 슬슬 결혼 준비를 해야겠다고 생각하던 중이었다.

"할 말이 있어."

카페에 앉자마자 그가 나직한 목소리로 말했다. 평소와는 달리 진지한 표정이었다.

'프러포즈를 할 모양이구나.'

나는 침을 꿀꺽 삼켰다. 그리고 어떤 표정으로 대답할지 머리를 굴렸다. 바로 그 순간, 세상이 와장창 깨지는 것 같은 한마디가 날아왔다.

"우리 헤어지자."

"응?"

나는 귀를 의심했다. 그가 왜 그런 말을 하는지 도무지 이해할 수가 없었다. 몇 년 동안 사귀면서 그 어떤 이상한 낌새도, 헤어질 만한 이유도 없었다. 심지어 우리 커플은 그 흔한 말다툼조차 거의 없었다. 그런데 왜?

"나, 만나는 사람 있어. 너한테도 그 사람한테도 몹쓸 짓 하고 싶지 않아서 지금 솔직하게 털어놓는 거야. 그러니까 이해해 줘."

너무 급작스럽고 생뚱맞은 상황이라 화조차 나지 않았다. 그는 계속해서 나와 헤어질 수밖에 없는 이유에 대해 중얼중얼 얘기하고 있었다. 그러는 동안 나는 차츰차츰 내가 처한 현실을 이해할 수 있게 되었다.

스물다섯, 결혼하려고 마음먹은 그해에 보기 좋게 차인 것이다. 내가 불같이 화를 내고 격한 말을 쏟아내기 시작한 것은 그때부터였다. 그는 내가 공격하는 동안 차분하게 듣기만 했다. 그러다 막판에 결정적인 한 방을 날렸다.

"너, 나를 사랑했던 거니, 아니면 내 간판을 사랑했던 거니? 솔직히 난 네가 나를 진심으로, 있는 그대로 대하는 것 같지가 않아. 늘 그런 생각이 들었고 그래서 괴로웠어. 그리고 나 말이야, 내 인생 하나만 짊어지기도 벅차. 그런데 넌 네 몫까지 내게 떠안기려 하잖아. 더 힘들어지기 전에 우리 이쯤에서 쿨하게 끝내자."

하늘이 무너지는 것 같다는 표현이 딱 맞다. 영화나 드라마에서만 봐왔던 일들이 이런 식으로 내게 닥칠 줄은 꿈에도 몰랐다. 믿을 수 없고 있을 수도 없는 일이었지만 인정할 수밖에 없는 현실이었다. 그는 냉정하게 떠났고 난 절망에 빠졌다.

그 뒤로는 하루하루가 상처투성이처럼 흘러갔다. 그 남자에 대한 미련보다는 그에게서 얻을 수 있었던 미래를 잃어버렸다는 상실감이 나를 더 힘들게 했다.

그리고 좀 더 시간이 지나서야 나는 그가 말한 것처럼 그동안 내 인생을 송두리째 남에게 맡기고 있었다는 사실을 깨달았다.

* * *

나쁜 일들은 이어달리기처럼 닥쳐왔다. 날벼락처럼 실연을 당하고 온 정신이 만신창이가 되어 버린 어느 날, 갑자기 아버지가 쓰러지고 말았다. 나는 소식을 듣자마자 정신없이 병원으로 달려갔다. 병원 복도에는 엄마와 오빠가 초조하게 앉아 있었다.

"엄마, 도대체 어떻게 된 거야? 아빠는?"

"지금 중환자실에 계셔. 뇌경색이래."

나는 넋을 잃은 채 굳게 닫혀 있는 중환자실을 바라보았다. 기가 막히고 어이가 없었다. 나에게는 그럴 일이 없을 거라 생각했던 비현실적인 일들이 며칠 사이로 연거푸 닥친 것이다. 나는 갑자기 모든 게 두려워졌다.

여느 가장들처럼 아버지도 평생 일벌레처럼 살아왔다. 그리고 얼마 전에 정년퇴직을 하고 이제 막 제2의 인생을 즐기려던 참이었다. 우리 같은 평범한 사람들은 모두 그런 수순을 밟지 않는가? 큰 욕심도 없고 별다른 일탈도 없이 그저 꾸준하고 묵묵하게 살아온 삶의 대가가 어째서 뇌경색이고 중환자실이어야 한단 말인가? 나는 이 불공평한 결과들이 무서웠다. 그리고 이때까지 나의 삶을 지탱해 주던 기반들이 사실은 그렇게 튼튼하지 않다는 것에 두려움을 느꼈다. 마치 거역할 수 없는 어떤 절대적인 힘이 내게 이렇게 말하는 것 같았다.

"세상은 널 돌봐줄 의무가 없다. 그리고 너에겐 어떤 일이든 생길 수 있다."

아버지는 중환자실에서 며칠간 치료를 받은 뒤에야 간신히 목숨을 건질 수 있었다. 하지만 좌반신불수라는 후유증 때문에 걸음도 제대로 걷지 못하게 되었다. 나는 또 한 번 충격을 받았다. 늘 건강하고 부지런했던 아버지의 초췌한 모습을 매일매일 바라봐야 하는 것도 괴로웠다. 게다가 나는 생애 최초로 실연을 당했고, 굳건하리라 여겨 왔던 미래마저 모래성처럼 허물어져 버린 뒤였다. 일을 마치고 집에 돌아오면 피로보다 더 무서운 절망과 슬픔이 기다리고 있었다. 나는 도저히 견딜 수가 없었다.

그 무렵 나는 계약사원으로 일하고 있던 IT관련 회사에서 날마다 격무에 시달리고 있었다. 대기업의 소프트웨어를 통째로 교체하는 프로젝트에 끼게 된 바람에 눈코 뜰 새 없이 바빴던 것이다. 나는 차라리 잘됐다고 생각했다.

'난 지금 너무 바빠…….'

회사 일은 나에게도 식구들에게도 집을 나올 수 있는 핑계거리가 되었다. 내 나이 스물다섯, 계획대로라면 집에서 얌전히 회사 다니다가 결혼과 동시에 출가하는 것이었다. 하지만 계획은 모두 틀어졌고, 나는 오로지 절망과 우울로부터 벗어나기 위해 독립을 결심했다. 그리고 며칠 뒤, 나는 엄마에게 아빠의 간병을 모두 떠넘기고 도망치듯 집을 뛰쳐나왔다. 못된 딸이라고 손가락질당해도 어쩔 수 없었다.

나는 집에서 멀리 떨어진 곳에 3평짜리 원룸을 구했다. 가격이 저렴한 만큼 시설은 엉망이었지만, 어차피 거기서 오래 살 생각은 없었기에 그냥 계약을 해버렸다. 그러고는 곧장 일 속에 파묻혔다.

아침부터 밤까지 일을 하고 피곤에 절은 몸을 질질 끌고 돌아와 샤워를 하고 잠이 들었다. 야근에 휴일 근무까지, 피곤했지만 그래도 충실한 날들이었다. 오로지 회사와 집만 왔다 갔다 하는 날들, 그렇게 정신없이 일하는 동안에는 딴 생각이 끼어들 틈이 없었다.

하지만 그렇게 도피처로 삼아 왔던 프로젝트마저 기어이 끝이 나고 말았다. 그리고 나에게는 "수고 많았습니다. 잠시 편히 쉬세요"라는 말과 함께 다시 평범한 잡무가 주어졌다. 여느 때 같았으면 느긋하게 몸과 마음을 충전할 수 있을 그 시간들이 내겐 너무나 고통스러웠다. 그나마 가까스로 나를 지탱해 주던 버팀목이 한순간에 사라진 듯한 느낌이었다.

잠시 밀쳐 뒀던 실연의 아픔, 아빠의 병치레 등이 다시 한꺼번에 닥쳐왔다. 기댈 곳을 잃어버린 나는 처참하게 무너져 내리기 시작했다. 아무런 의욕도 없이 매일매일 무력감에 몸서리쳤고, 회사에 나갈 기력마저 잃어 쉬는 날이 점점 많아졌다. 우울증은 거대한 먹구름처럼 내 인생 위에 드리워졌다. 숨 쉬는 것조차 스트레스였다.

그때부터 나는 먹어대기 시작했다. 스트레스 배출이 식욕으로 향한 것이다. 나는 공허함을 음식으로 메우듯 뭔가를 끊임없이 입에 넣었다. 살찌는 소리가 들릴 정도로 몸이 불기 시작했다. 대학 졸업 때 53킬로그램이었던 체중이 눈 깜박할 새 70킬로그램을 넘어섰다.

나쁜 일은 이어달리기를 좋아한다. 의욕 없고 결근도 잦은 데다가 몸까지 비대해진 계약사원을 어느 회사가 계속 쓰겠는가? 결국 나는 계약을 갱신하지 못하고 잘려 버렸다. 그래도 일을 해서 최저 생계비라도 벌어야 했기에 나는 기력을 쥐어짜 내며 새로운 일을 찾기 시작했다. 무슨 일이든 당장 할 수 있는 일이라면 뭐든지 오케이, 그리하여 나는 파견사원이 되었다.

그때까지만 해도 나는 이런 생활이 오래가지는 않을 거라 믿었다. 하지만 그 이후로 4년이 지나도록 나는 철새처럼 3개월마다 여기저기 옮겨 다니며 늘 마음 졸여야 하는 파견사원 신세를 면치 못했다. 퀴퀴한 3평짜리 원룸에서도 역시 벗어나지 못했다.

인생의 정점을 향한
죽음의 카운트다운

싱크대 앞에 멍하니 서서 살아온 날들을 생각하니 한숨만 나왔다. 그리운 추억도, 아련한 풍경도 없이 너무도 짧게 끝나 버린 회상이었다. 눈물도 다 말랐고 이제 나에겐 아무것도 없다. 친구나 취미는 원래 없었고, 애인도 미래도 모두 사라졌다.

집안은 병든 아빠의 퇴직금과 연금으로 빠듯하게 살고 있어 기댈 수도 없다. 더구나 나를 그렇게 사랑해 주던 가족의 곁을 스스로 박차고 나온 마당에 무슨 낯으로 다시 돌아갈 수 있을까.

'그나마 좋아하는 것이나 몰두할 수 있는 취미라도 있었더라면……'

아무리 가난해도 친구들과 함께 아마추어 극단이나 밴드 활동을 하며 살아가는 사람들이 너무도 부러웠다. 뭐라도 한 가지 몰두할 수 있는 게 있었더라면 내 인생도 조금은 달라지지 않았을까. 하지만 스물아홉 해가 지나는 동안 한 번도 갖지 못했던 흥밋거리를 이제 와 어디서 찾을 수 있을까?

'대체 난 뭘 위해 살고 있는 걸까?'

그 순간, 갑자기 소름이 쫙 끼쳤다. 무시무시한 생각을 하고만 것이다. 마치 절대로 열어서는 안 될 재앙의 상자를 열어 버린 느낌이었다. 다시 닫으려 해도 이미 뚜껑은 열리고 말았다.

'나란 인간, 과연 살 가치가 있는 걸까?'

순식간에 나라는 존재가 너무도 무의미하게 느껴졌다. 아무에게도 도움 되지 않고 누구한테도 필요하지 않은 '있어도 그만, 없어도 그만'인 존재.

어릴 적에 나는 가족의 사랑 속에서 컸다. 지금도 그 사랑을 의심하지는 않는다. 야무진 구석이라곤 하나도 없는 딸이 이렇게 밑바닥 생활을 하고 있다는 걸 부모님이나 오빠가 알게 된다면 분명 괴로워할 것이다. 그런 가족에게 나란 인간은 짐밖에 되지 않는다.

문득 방 한가운데 놓인 테이블에 눈이 멎었다. 딸기를 잃고 찌부러진 조각 케이크가 눈에 들어왔다. 보잘것없는 싸구려 케이크와 아무짝에도 쓸모없는 스물아홉 살 여자, 그래 잘 어울리는

구나.

내세울 것 하나 없고 공공요금 내기에도 빠듯한 생활이지만, 그래도 지금까지는 젊음 하나로 어떻게든 버텨 왔다. 그러나 이제 30대가 되면 취직은 더 힘들어질 것이다. 지금까지 수백 군데 이력서를 뿌려 봤자 오라는 곳은 한 군데도 없는데, 자격증 하나 없는 나를 앞으로 누가 뽑아 주기나 할까.

장래에 대해 함께 이야기 나눌 만한 친구도 내겐 없다. 남자? 그들의 시선은 나를 투명인간처럼 통과하여 피부 관리에 열을 올리고 패션 감각이 뛰어난 젊고 화려한 정규직 여사원들에게만 향한다. 그녀들은 미팅이다, 술자리다, 매일매일이 즐거워 보인다. 하지만 나는 그런 모임에 나가 본 적이 없다. 설령 누가 미친 척하고 나를 불러낸다 해도 입고 나갈 옷조차 없다.

신데렐라는 마법을 걸어 줄 마녀가 나타날 때만 신데렐라다. 마법이 없으면 그저 재투성이 하녀에 불과하다. 못생긴 얼굴에 70킬로그램이 넘는 서른 문턱의 패배자에게 남은 인생은 그저 내리막길뿐이다. 앞으로 한 살, 또 한 살 나이를 먹는다는 게 너무도 끔찍하고 두려워 견딜 수가 없다. 지금보다 더 밑바닥 생활이라면 그건 도저히 살아갈 수 없다는 것을 뜻한다.

나는 태어나서 처음으로 온몸을 부르르 떨며 친구를 그리워했다. "아냐, 열심히 하면 좋은 일이 생길 거야"라고, 거짓말로

라도 격려해 줄 그런 친구가 그리웠다. 하지만 나는 철저히 외톨이였다.

'앞으로 1년이면 나의 20대도 막을 내린다.'

그런 생각이 들자 지금껏 품어 왔던 작은 희망마저 사그라졌다. 내 앞에 있는 인생은 깜깜한 터널과도 같다. 지금부터 여든까지 산다고 치면 앞으로 약 50년, 그 숫자를 떠올리자 몸서리가 쳐졌다.

'앞으로 50년이라니, 집세는 제때 낼 수 있을까. 수도가 끊긴 좁고 어두운 방 안에서 냄새 나는 늙은이로 혼자 쓸쓸히 생을 마치게 되진 않을까.'

문득 '고독사孤獨死'라는 단어가 떠올랐다. 간호는커녕 죽음조차 혼자 쓸쓸히 맞아야 하는 미래의 내 모습을 떠올리자 몸서리칠 정도로 무서워졌다. 그때 부엌에 걸어 둔 칼이 어떤 빛에 반사되어 반짝거렸다. 왜 갑자기 그 섬뜩한 칼날이 눈에 들어왔을까.

'그래, 지금 죽으면 그래도 아직은 나를 위해 슬퍼해 줄 사람이 있을 거야. 내 죽음을 이해해 줄 사람이 있을지도 몰라……'

나는 천천히 칼 쪽으로 손을 뻗었다. 단순한 조리도구에 지나지 않던 칼이 돌연 무시무시한 흉기로 변했다. 칼을 쥐자 주위의 모든 소리가 사라졌다. 칼을 쥔 오른손이 미세하게 떨렸다. 나는 천천히 칼날을 손목에 갖다 댔다. 그렇게 차가운 느낌은 처음이었다. 그 상태로 길고 긴 시간이 흘렀다. 아니, 마치 시간의 바깥에 서 있는 기분이었다.

엄마, 아빠, 오빠의 얼굴이 스쳐 지나갔다. 헤어진 남자의 얼굴과 학창시절의 몇몇 얼굴도 떠올랐다. 온몸이 덜덜 떨리고 천장이 빙빙 돌기 시작했다. 내 안에서 유혹의 목소리가 들려왔다.

'괜찮아. 눈 질끈 감고 단번에 싹 그으면 돼. 아프지 않아. 그냥 피만 나올 뿐이야. 그럼 천천히 잠자듯이 세상을 떠나는 거야.'

곧이어 또 다른 목소리가 들려왔다.

'아깝고 억울하지 않니? 한 번도 폼 나게 살아 보지 못했잖아. 잘 생각해 봐. 혹시 알아? 뜻하지 않은 기적이 생길지?'

사방은 무섭도록 적막했지만 내 머릿속은 지옥의 한복판처럼 요란한 소리로 가득 찼다. 칼을 쥔 손과 칼날이 닿은 손 모두 감각을 느끼지 못할 만큼 저려 오기 시작했다. 그리고 다음 순간 나는 칼을 떨어뜨리고 말았다. 그리고 풀썩 주저앉아 힘없이 고개를 떨궜다.

'못 하겠어, 못 하겠어.'

무서웠다. 죽는 게 무서웠다. 죽는 것보다 사는 게 더 무섭다고, 더는 못 견디겠다며 도망치고 싶어 하면서도 나에겐 죽을 용기조차 없었다.

* * *

나는 공기 빠진 풍선처럼 널브러져 있었다.

'살아갈 용기도, 죽을 용기도 없다. 나란 인간…… 끝끝내 이도 저도 아니구나.'

초점을 잃어버린 나의 시선은 텔레비전 브라운관만 향해 있었다. 화면에서는 형형색색의 외국 풍경이 번쩍번쩍 빛났다 사라지기를 반복하고 있었다. 내레이션은 '일상에 지친 그대, 어서 떠나세요!'라고 말하지만, 나와는 아무런 상관도 없는 풍경이었다. 경쾌한 배경음악이 나에게는 장송곡처럼 느껴졌다. 이젠 울 기력마저 없었다.

그때였다. 갑자기 화면이 확 바뀌더니 뭔가 반짝이는 빛이 내 안으로 확 빨려 들어왔다. 화면 속에는 너무도 아름다운 세계가 펼쳐지고 있었다. 화려하고 눈부신 빛의 축제, 웃음이 끊이지 않고 세상의 모든 행복이 다 들어 있는 듯한 세계, 그곳은 바로 라스베이거스였다. 언제나 볼 수 있는 흔해 빠진 여행 프로그램이었지만, 화면 속 라스베이거스는 이상하리만치 전율로 다가왔다. 나는 화면에서 시선을 뗄 수가 없었다.

화려하게 차려 입은 연예인들이 라스베이거스의 거리에서 우아하게 즐기고 있었다. 테마파크처럼 흥미진진한 호텔 레스토랑에서 호화로운 식사를 하고, 거대한 아울렛에서 쇼핑을 즐기는 사람들, 스릴 만점의 쇼가 펼쳐지고, 카지노에서는 슬롯머신을 즐기며 큰 소리로 '잭팟jackpot'을 외쳐대는 사람들……. 그곳은 '호화로움의 극치'이며 완벽한 '양陽'의 세계, 어둠은 없고 오로지 빛과 화려함만 존재하는 세계였다.

'저 사람들…… 참 좋겠다.'

너덜너덜한 바닥에 퍼질러 앉아 있는 나의 현실과 라스베이거스 사이에는 영겁의 간격이 있어 결코 닿을 수 없을 것이다. 내가 숨 쉬는 것과 똑같은 공기로 호흡할 수 있는 곳에 저런 세상이 있다는 게 새삼 신기했다. 암울한 현실과는 동떨어진 곳, 날마다 행복한 축제가 펼쳐지는 세계, 그곳은 지상낙원 그 자체였다.

텔레비전 화면이 바뀌고 한참이 지나도록 나는 그렇게 멍하니 앉아 있었다. 하지만 식칼을 들고 있을 때와는 전혀 다른 기분이 생겨나고 있었다. 너무도 낯선 느낌, 너무도 생뚱맞은 느낌…… 그것은 난생처음 '뭔가를 해보고 싶다'는 간절한 느낌, 가슴 떨리는 설렘이었다. 갑자기 내 속에서 너무도 낯선 욕망이 꿈틀대기 시작했다.

'어차피 죽을 거라면 좋다, 단 한 번이라도 저 꿈같은 세상에서 손톱만큼의 미련도 남김없이 남은 생을 호화롭게 살아 보고 싶

다. 단 하루라도!'

정말 멋진 아이디어가 아닌가.

나는 특히 카지노에 끌렸다. 지금껏 만져 보지도 못한 엄청난 거금이 순식간에 사라지거나 혹은 수십 배로 부풀려지는 곳……. 나는 그곳에 가고 싶었다. 가서 화면 속의 선택받은 사람들처럼 파라다이스 한복판에 나를 내던지고 싶었다. 생활비를 쪼개고 또 쪼개도 항상 돈에 쪼들리는 나로서는 당연히 상상도 못 할 일이었다. 하지만 뭐 어떤가? 어차피 죽으려고 하지 않았나?

갑자기 이 나이가 되도록 푼돈에 연연하고 있는 나 자신이 바보처럼 느껴졌다. 뭐 그리 아까운 인생이라고 그렇게 바들바들 떨면서 살아왔던가? 그래, 모든 것을 버리자. 죽을 용기조차 내지 못하는 것은 분명 아직 뭔가에 미련이 있기 때문이다. 카지노에 전부를 걸고 다 잃어버리면 아마 미련 따윈 남지 않겠지. 그러면 산뜻한 기분으로 죽을 수 있지 않을까?

차츰차츰, 캄캄하고 끝이 없던 터널에 갑자기 한 줄기 빛이 보이기 시작했다.

'그래, 라스베이거스로 가자!'

어차피 죽을 거라면 서른이 되기 직전, 스물아홉의 마지막 날, '이보다 더 좋을 순 없다'고 생각되는 그 멋진 순간을 맛본 뒤에 죽는 거야. 카지노에서 전부를 잃어도 상관없다. 내 인생의 전부를 걸고 승부를 펼쳐 보는 거다. 그리고 땡, 서른이 되는 날 미련 없이 목숨을 끊는다.

'1년, 내게 주어진 날들은 앞으로 1년이야.'

지금 나에게는 '죽지 못한 탓에 맞이하게 된 시간'밖에 없다. 나는 지금부터의 시간을 '남아 있는 목숨'이라 부를 것이다.

그날부터 내 인생의 카운트다운이 시작되었다.

D-9개월

'그래, 나는 지금 변화하고 있는 중이야.'

이제 나에겐 '계획'이란 게 생겼고, 반드시 달성해야 할 목표가 생긴 것이다. 계획, 목표…… 그런 게 이토록 대단한 것이었나? 시야를 변화시키고 사람의 걸음걸이마저 확 바꿔 버릴 만큼 힘 있는 것이었나?

기적을 바란다면
발가락부터 움직여 보자

스스로 부여한 여명餘命은 앞으로 1년.

더 이상의 삶은 바라지도 않는다. 오직 인생의 마지막 날을 라스베이거스에서 아낌없이 불태우리라. 그리고 미련 없이 세상을 떠나자.

이 생각이 그저 한순간의 충동에 그치지 않을 거라는 사실은 날이 밝은 뒤에 더욱 확실해졌다. 창문으로 쏟아져 들어오는 햇살 속에서 나는 간밤에 품었던 그 막연한 계획을 다시 끄집어냈다. 그리고 본격적으로 자금 계획을 세우기 시작했다. 라스베이거스에 가기 위해서 내게 필요한 돈은 도대체 얼마쯤일까?

물론 수중엔 땡전 한 푼 없었다. 하지만 어차피 서른 이후의 삶을 위해 돈을 모을 필요는 없었다.

지금부터 내가 버는 돈은 오로지 라스베이거스에서의 마지막 하루를 위해 쓰이게 될 것이다.

일단 현재 상황에서 식비를 줄여 매일 조금씩 절약하면 아주 저렴한 비행기 티켓이나 싸구려 호텔쯤은 가능할지도 모른다. 하지만 그 정도로는 턱도 없다. 나의 목표는 라스베이거스 관광 따위가 아니다. 원 없이 사치를 즐기다가 마지막 날 카지노에서 말 그대로 목숨을 건 일생일대의 승부를 펼치는 것이다. 그러자면 큰돈이 필요하다. 자, 그렇다면 1년 동안 도대체 뭘 어떻게 해야 돈을 마련할 수 있을까.

나는 옷을 걸치고 곧장 근처 넷카페로 달려가 머릿속에 맴도는 단 하나의 키워드를 검색창에 입력했다.

'고수익.'

곧이어 검색 결과가 주르륵 뜨기 시작했다. '임상실험 아르바이트', '유흥업', '소자본 창업', '긴자 호스티스'……. 잠깐, 긴자 호스티스?

거기서 시선이 딱 멈췄다. 말로만 들어 봤지 긴자의 고급 클럽에는 가본 적도, 가볼 생각조차 해본 적이 없었다. 거긴 마치 다른 우주처럼 나하고는 아무런 상관이 없는 세계였다. 하지만 나는 다시 검색창에 '긴자 호스티스'라고 입력한 뒤 검색결과를 꼼꼼히 읽기 시작했다. 그러다 문득 '내가 이런 직업을 놓고 이렇게까지 진지하게 생각할 줄이야' 하는 생각이 들었다. 어제까지만 해도 도저히 상상할 수 없는 일이었다.

아무래도 인생에는 돌이킬 수 없는 결정적 순간이 있는 것 같다. 서른 살이 되는 날 이 세상을 떠날 거라는 결심, 그리고 생의 마지막 날을 라스베이거스에서 맞이할 거라는 다짐은 이제 더 이상 취소할 수 없는 운명처럼 여겨졌다. 주사위는 던져졌고 나는 한 번 건너면 다시 돌아올 수 없는 스틱스 강을 건너 버린 것이다.

만일 내 주변에 어설프게나마 조언을 해줄 수 있는 단 한 사람이라도 있었다면 아마 그런 결심을 하지 못했을 것이다. 하지만 나는 철저히 혼자였고, 나의 밑바닥 현실을 홀로 감당해야 하는 만큼 주어진 나만의 삶을 충동적으로 살아 버릴 자유도 있었다. 1년 뒤에 죽기로 결심한 여자에게 그런 자유조차 없다면 정말 너무한 것 아닌가?

검색 결과를 읽어 가는 동안, 긴자라는 그 이질적인 세계가 점점 익숙하게 느껴졌다. 라스베이거스처럼 거기도 역시 텔레비전 드라마에서나 만날 수 있는 세계였지만, 내 머릿속에서는 이미 긴자의 고급 클럽과 라스베이거스의 화려한 밤이 자연스럽게 연결되고 있었다.

'긴자, 그런 호화로운 세계에 몸을 담그면 라스베이거스와 좀 더 가까워지겠지.'

게다가 호스티스라는 직종은 밤일일 테니, 어쩌면 파견사원과 병행할 수 있는 최적의 아르바이트가 될 수도 있을 것이다. 아니, 무엇보다 아무런 자격증도, 재능도 없는 내가 최단기간 내에 라스베이거스 행 자금을 벌기 위해서는 어떻게든 이 일을 해야 한다.

긴자의 클럽은 지인의 소개 등 알음알음으로 들어가는 경우가 대부분이었다. 하지만 인터넷 상으로 호스티스를 모집하는 곳도 몇 군데 있었다. 나는 닥치는 대로 전화번호를 메모한 뒤 넷카페를 나섰다.

이상하다. 갑자기 세상이 달라진 느낌이다. 겉으로는 평소와 다를 게 하나도 없었지만, 거리의 자동차와 건물들, 오가는 행인들, 그리고 가로수와 하늘 모두가 좀 더 선명하게 보였다. 늘 나하고는 아무런 상관없이 저만치 거리를 두고 있던 세상이 어딘가 구체적인 윤곽을 드러내며 내게 다가오는 느낌이랄까.

무엇보다 내 안에서 벌어지고 있는 조용한 음모로 인해 몸과 마음이 바짝 조여지는 기분이었다.

'그래, 나는 지금 변화하고 있는 중이야.'

이제 나에겐 '계획'이란 게 생겼고, 반드시 달성해야 할 목표가 생긴 것이다. 계획, 목표…… 그런 게 이토록 대단한 것이었나? 시야를 변화시키고 사람의 걸음걸이마저 확 바꿔 버릴 만큼 힘 있는 것이었나?

아니, 어쩌면 나의 계획이란 게 앞으로 10년, 혹은 20년, 30년 정도의 시한을 두고 있었다면 이렇게 생생한 느낌을 주진 못했을 것이다. 하지만 1년이라면 해볼 만하지 않은가? 1년 동안 죽기 살기로 돈을 벌어 보는 거다. 죽을 각오로 말이다.

* * *

"어떻게 오셨나요?"

문을 열고 들어서자 카운터의 직원이 친절하게 맞아주었다.

"호스티스 모집 광고를 보고 왔어요."

그러자 직원은 약간 놀라는 눈치였다. 잠시 후 직원은 나를 어느 화려한 응접실로 안내했다. 거기엔 마담인 듯한 여주인이 앉아 있었다. 나는 그녀의 시선에 완전히 주눅 들고 말았다. 마담은 단 1초 만에 모든 판단을 끝내 버린 눈치였다. 나머지는 그저 예의상 던지는 질문일 뿐이었다. '몇 살이죠?', '이런 일 해본 적 있나요?', '호스티스가 어떤 직업인 것 같아요?' 그런 질문들에는 이미 대답할 말을 준비하고 있었다. 나는 마치 대기업 입사 면접을 치르듯 또박또박 대답했다. 그게 다였다. 마담은 미소를 지으며 내게 다가와 어깨를 톡톡 두드려 주었다.

"좀 더 생각해 보세요. 세상은 정말 만만치 않답니다. 가서 다니던 직장에서 열심히 일하면서 곰곰이 생각해 보세요. 찾아보면 할 만한 일들이 아주 많으니까."

퇴짜였다.

물론 처음부터 단박에 채용되리라 기대한 건 아니었지만, 다리에 힘이 풀리는 느낌은 어쩔 수 없었다. 그래도 여긴 정말 친절한 클럽이었다. 이후 다섯 군데를 더 경험하면서 나는 내가 얼마나 무지하고 순진했었는지 뼈저리게 느낄 수 있었다. 못생긴 외모는 제쳐 두고라도 서른 가까운 나이에다 체중은 70킬로그램이 넘는 여자를 어느 클럽에서 써주겠는가?

'뭐야, 지금 장난하는 거야?'라는 듯 기막히다는 표정을 짓는 것은 그나마 점잖은 편이었다. 대부분의 클럽에서는 면전에 대고 "거울도 안 보고 삽니까?"라는 말을 내뱉기 일쑤였다.

"누가 당신 같은 여자랑 술 마시자고 몇 만 엔씩 지불하겠어?"

그런 말들 하나하나가 유리 파편처럼 날아와 가슴을 후벼 팠다. 태어나서 이렇게 노골적으로 자존심을 짓밟혀 보긴 처음이 었다.

사실 나이나 외모보다 더 어처구니없는 것은 내가 술을 한 방울도 못 마신다는 사실이었다. 그러고도 긴자에서 호스티스로 일하겠다니 욕을 얻어먹어도 싸다.

퇴짜를 맞을 때마다 나는 세상물정 모르고 살아온 지난날을 후회했고, 모집광고 하나만 보고 긴자 거리에 들어선 나 자신을 향해 저주를 퍼부었다.

메모에 적힌 마지막 클럽에서도 실패한 뒤, 나는 쫓겨나듯 긴자 거리 한복판으로 내몰렸다. 거리는 휘황찬란한 네온사인과 행인들로 한창 달아오르고 있었지만, 내 마음은 차갑게 얼어붙고 있었다. 그 누구도 나 따윈 안중에 없었다. 술 취한 사람들 사이에서 이리 채이고 저리 채이면서 나는 버려진 휴지조각처럼 아무렇게나 휩쓸려 갔다.

* * *

"어이, 아가씨!"

누군가 뒤에서 나를 불렀다. 깜짝 놀라 돌아보니 두 번째가 세 번째 클럽에서 잠깐 봤던 검은 옷의 중년 남자였다.

'무슨 일이지? 뭘 두고 왔나……?'

나는 눈만 깜빡거리며 멍하니 서 있었다.

"클럽 말이야, 아직 못 구했나?"

나는 말없이 고개를 끄덕였다.

"내가 한 군데 소개시켜 줄까?"

나는 속으로 쾌재를 불렀다.

'그래, 아직 기회가 남아 있어.'

"아니, 정식은 아니고 다음 호스티스가 올 때까지 임시직일지도 몰라."

"괜찮아요. 일만 할 수 있다면 아무래도 좋아요."

나는 무턱대고 남자의 뒤를 따랐다. 걷는 동안 혹시 이상한 데로 끌고 가는 건 아닌가 겁도 났지만, 그래도 불안보다는 기회 쪽으로 마음이 기울었다. 정서적으로 완전히 만신창이가 되어버려 사고 능력이 떨어진 탓도 있었지만, 무엇보다 1년이라는 데드라인이 남다른 각오를 갖게 만든 것이다.

'그래, 앞으로 딱 1년뿐이야. 망설이거나 고민할 시간이 없어. 아무리 극한상황이 닥치더라도 1년 뒤면 해방이다.'

'죽기 아니면 살기', '될 대로 되라'는 식의 체념으로 나는 검은 정장의 사나이를 계속 따라갔다. 남자는 몇 미터 떨어진 어느 빌딩으로 들어가더니 엘리베이터에 올라탔다. 엘리베이터는 3층에서 멈췄다. 복도 양쪽으로 육중한 문들이 줄지어 있고 네온으로 장식된 간판과 큰 화병이 놓여 있었다. 남자는 어둑하면서도 은은한 조명 사이로 계속 걸었다. 그리고 마침내 '클럽 사와'라고 적힌 곳에서 걸음을 멈춘 그는 익숙한 동작으로 문을 열었다.

"마담, 일하고 싶다는 아가씨가 있어서요."

남자가 말하자 기모노 차림의 요염한 여성이 나타났다. 중년쯤 되어 보이는 어딘가 기품이 느껴지는 여인이었다.

'아름답다.'

나는 감탄했다. 사람들은 흔히 20~30대의 늘씬한 여자들을 보며 꽃처럼 아름답다고 함부로 떠들어 대지만 나이와 상관없이, 아니 오직 그 연륜만이 간직할 수 있는 그런 아름다움이야말로 진짜가 아닐까.

나는 그 마담에게 호감을 가득 담은 표정으로 인사했다. 하지만 마담의 표정은 굉장히 복잡했다.

"……꽤 재미있는 아가씨를 데려왔군."

그렇게 에둘러 표현했지만 아무래도 내 외모를 보고 곤란해하는 게 분명했다. 게다가 이런 일도 처음인 데다 술마저 전혀 못 마신다는 말을 듣고는 한숨을 내뱉었다.

'역시 안 되나 보다…….'

이젠 낙담하는 데에도 이골이 나 있었다. 그때 남자가 다시 한

번 밀어붙였다.

"호스티스들이 연거푸 그만두는 바람에 일손이 많이 달린다면 서요?"

"응, 그건 그래. 하지만……."

"이 아가씨, 지금은 이래도 금세 바뀔 겁니다. 믿고 한번 시켜 보시죠."

나는 남자를 힐끗 쳐다봤다.

'이렇게 고마울 데가, 생전 처음 보는 나를…….'

물론 그때는 클럽마다 소개료란 것이 발생한다는 것을 알 리가 없었다. 나중에 안 사실이지만, 이렇게 소개받아 일하게 되면 중 개인에게 수만 엔에서 때로 수십 만 엔씩 지급해야 한다. 결국 남 자가 그렇게 열심히 밀어붙인 데에도 다 이유가 있었던 것이다.

"어쨌거나 머릿수는 채워야 하잖습니까."

남자가 강하게 밀어붙이자 마담은 한숨을 길게 토해 내고는, "그래, 그러자. 다음 호스티스를 찾을 때까지만 대타로……" 하 며 마지못해 승낙했다.

'해냈어!'

나는 덩실덩실 춤이라도 추고 싶었다.

'세상에, 내가 긴자에서 일을 할 수 있다니!'

하지만 마담은 단호하게 말했다.

"아가씨한테 일급 1만 엔을 다 줄 수는 없어. 8,000엔부터 시작해도 괜찮겠지?"

긴자의 호스티스는 일급이 기본 1만 엔이며, 그 밑으로 받는 호스티스는 없는 것 같았다. 하지만 나의 파견 시급은 1,350엔, 매일 8시간 정도 일해도 한 달에 쥐는 돈은 약 21만 엔이었다. 그런데 여기서는 단 4시간만 일해도 8,000엔. 주 4일 출근에 월 12만 8,000엔을 받을 수 있다는 계산이 나온다. 낮일과 겸하면 월 34만 엔 정도까지도 벌 수 있다!

나는 연신 고개를 끄덕였다. 그러자 마담은 곁눈질로 내 몸을 슬쩍 훑어보며 물었다.

"지금 몇 킬로그램이야?"

갑자기 가슴이 덜컥 내려앉았다.

"······73킬로그램인데요."

"거기서 20킬로그램만 빼면 1만 엔으로 올려 줄게. 열심히 해."

"네!"

살면서 그렇게 크고 명랑한 목소리로 대답해 보긴 처음이었다. 온종일 긴자의 클럽을 돌아다니며 받았던 마음의 상처들을 한순간에 보상받는 것 같았다.

"가명은 뭐로 할래?"

"가명이요?"

마담은 어이없어했다.

"가게에서 쓰는 이름 말이야. 별명 같은 거."

나는 골똘히 생각에 잠겼다.

'연예인들처럼 내게도 또 하나의 이름이 필요하게 될 줄이야.'

"아마리…… 아마리로 할게요."

"아마리?"

"예. 나머지, 여분이란 뜻의 아마리余リ."

그러자 마담은 또 한숨을 내쉬더니 마지못해 고개를 끄덕였다.

"그래, 그것도 괜찮은 아이디어네."

다른 호스티스들은 '린', '유리카', '아키호' 같은 귀여운 이름을 사용하지만 나는 덤으로 들어오게 된 '나머지' 같은 존재가 아닌가. 그런 생각에서 반은 자학적으로 붙인 이름이었다.

어떻게 보면 그 이름은 지금 내가 살고 있는 시간이 어떤 의미를 품고 있는지를 가장 명확히 말해 주는 것 같았다. 나머지 삶, 내가 나에게 부여한 1년 치 여분의 삶…….

그래도 막상 또 하나의 이름이 생기자 왠지 기분이 좋았다. 예전의 내가 아닌, 전혀 다른 사람이 된 것 같았기 때문이다. 그렇게 나는 긴자의 호스티스가 되었다.

* * *

그날 밤 불을 끄고 잠자리에 누운 뒤에야 나는 내게 닥친, 아니 내가 선택한 변화를 비로소 생생하게 느낄 수 있었다.

줄곧 패배자로 살아오던 내가 태어나서 처음으로 도전자가 되었다. 그리고 나와는 아무 상관없었던 라스베이거스를 인생의 마지막 도달점으로 삼았다. 생각 속에 어떤 씨앗이 있었기에 이런 변화가 생겼을까? 목표가 생기자 계획이 만들어지고, 계획을 현실화시키려다 보니 전에 없던 용기가 나오기 시작했다.

인터넷에서 긴자의 호스티스 클럽을 검색하고, 전화를 걸어 직접 찾아간 사람이 정말 나란 말인가? 거듭되는 퇴짜에도 불구하고 결국 이런 외모, 이런 몸매로 클럽에 채용됐다는 것이 얼마나 기적 같은 일인지 그제야 피부로 와 닿았다.

정말이지 인생의 구석구석에서 언제 어떤 일이 일어날지는 아무도 모른다. 아무리 무모하더라도 일단 작정을 하고 나면 무슨 일이든 생길 수 있다. 정말 신기한 것은 내가 '움직였다'는 것이다. 원래의 나라면 좁은 방바닥에 드러누워 꼼짝도 하지 않았을 것이다. 그저 머릿속에서만 수십 채의 집을 짓고 허물며 게으른 몽상에서 한 발짝도 움직이지 않는 것이 나였다.

생각은 생각일 뿐이고 몽상은 그저 몽상일 뿐이었는데, 그런 내가 최초로 몸을 움직였다. 발가락부터 조금씩 움직여 본 것이다. 그러자 기적 같은 일들이 벌어지기 시작한 것이다. 나는 다시 불을 켜고 수첩을 펼쳤다. 그리고 앞으로 1년 뒤, 인생의 정점까지 가는 동안 나의 신조처럼 지키고 싶은 한마디를 적었다.

'기적을 바란다면 발가락부터 움직여 보자.'

가진 게 없다고 할 수 있는 것까지
없는 건 아니다

　낮엔 평범한 회사원, 밤엔 긴자의 호스티스, 나는 마치 영화에
나 나올 법한 이중생활의 주인공이 되었다. 그 무렵 회사에서는
가끔 야근 명령이 떨어질 때도 있었다. 그래서 나는 퇴근 후 곧
바로 긴자에서 일할 수 있게끔 집에서 가깝고 야근이 없는 회사
로 파견지를 변경했다. 일하는 기간이나 시간, 근무지 등을 직접
선택할 수 있는 파견사원의 메리트를 처음으로 맘껏 활용한 것
이다.

　이제 매일 아침 9시부터 오후 5시까지는 회사에서 일을 하고,
오후 7시 30분부터 밤 11시 30분까지는 긴자의 클럽에서 호스
티스로 일하게 된다.

"첫 근무까지 며칠 시간을 줄 테니 그동안 꼼꼼히 준비해 둬."

그러면서 마담은 준비해야 할 목록을 일러주었다.

호스티스는 갖춰야 할 것들이 산더미 같았다. 먼저 의상부터 장난이 아니다. 나이 든 마담은 기모노를 입지만 그 밑의 호스티스들은 형형색색의 화려한 드레스로 몸을 휘감아야 하고, 그 비용은 모두 개인 부담이다. 매일 똑같은 옷을 입을 수도 없는 노릇이라 최소한 두세 벌 이상 필요했다. 그래도 클럽 사와는 나은 편이었다. 다른 클럽에는 반드시 새 드레스를 입고 와야만 하는 '뉴 드레스 데이New Dress Day'라는 것도 있다고 한다. 물론 그만큼 버는 돈도 많겠지만, 수입이 많을수록 지출도 많아지는 것이 이곳 긴자의 방정식일지도 모른다.

여하튼 나로서는 어떻게든 초기 비용을 줄여야 했다. 하지만 아무리 싼 드레스를 찾으려 해도 도대체 어디서 파는지, 한 벌에 얼마나 하는지 통 알 길이 없었다. 긴자의 유명 백화점에 있는 파티 드레스 코너에 갔더니 그저 그런 드레스인데도 입이 딱 벌어질 만큼 비쌌다. 더 큰 문제는 가격보다 사이즈였다. 당최 내 몸에 맞는 빅 사이즈 따윈 눈을 씻고 봐도 없었다. 또 한 번 나의 '빌어먹을 외모'가 슬퍼지는 순간이었다. 하지만 기죽어 있을 시간이 없다.

결국 나의 충실한 정보통 역할을 해주는 넷카페로 달려가 인터넷 쇼핑몰을 샅샅이 뒤졌다. 77, 88, 99, 100…… 유명 백화점에서는 결코 취급하지 않는 빅 사이즈가 '저요, 저요' 하며 올라왔다. 나는 저렴하면서도 싸구려처럼 보이지 않는 원단과 디자인을 찾아 두 벌을 주문했다.

다음은 드레스에 맞는 구두를 찾아야 했다. 선배 호스티스들(그래봤자 스물아홉 살인 나보다 대부분 어리지만)은 잘 보이지도 않을 만큼 가늘고 뾰족한 힐을 신고 아무렇지도 않은 듯 우아하게 걸어 다녔는데, 내 눈엔 곡예로밖에 보이지 않았다.

'저렇게 가느다란 힐이 내 몸무게를 감당할 수 있을까?'

물론 불가능하다. 나는 이번에도 인터넷 쇼핑몰을 뒤져 굵고 낮은 굽의 펌프스를 구입했다. 목걸이와 귀걸이 같은 액세서리도 값싼 제품으로 대충 갖췄다. 싸다고는 하지만 그래도 상당한 지출이다. 앞으로 더욱 더 허리띠를 졸라매야만 한다.

자, 드레스에 구두에 액세서리까지 장만했다. 또 뭐가 필요하지? 참, 화장 도구도 한 세트 구해야 한다. 지금까지는 파운데이션과 아이브로펜슬만 쓰면서 거의 민낯에 가까운 화장을 해왔지만 긴자에서는 어림도 없다. 이젠 뷰티 잡지를 펼쳐 놓고 거울 앞에서 화장 연습을 해야 한다. 완전 생고생이다. 특히 속눈썹은 난생처음이라 엉뚱한 부위에 붙이는 바람에, 뗐다 붙였다를 반복해 가며 진땀을 흘렸다.

그러는 사이 호스티스로 데뷔하는 날이 점점 다가왔다. 그동안 나는 퇴근하자마자 곧장 집으로 달려와 밤늦도록 드레스를 입고 거울 앞에서 화장 연습을 했다. 처음엔 색조 화장이 서툴러 빨강, 파랑 등 원색으로만 화려하게 범벅을 하는 바람에 영락없는 피에로가 되어 버리곤 했는데, 그것도 시간이 흐르면서 점점 능숙해져 갔다. 밋밋했던 얼굴이 차츰차츰 '그래도 봐줄 만'해지자 왠지 기분이 좋아졌다. 오랜 세월 동안 의식 맨 밑바닥에 내팽개쳐 두었던 '여성성'을 오랜만에 만나는 느낌이었다.

머리 손질도 맹연습을 거듭했다. 고급 클럽들 중에는 매일 출근 전에 의무적으로 미용실에 들러야 하는 곳도 많다. 머리 손질에만 매일매일 3,000엔 정도를 들인다. 클럽 사와에서도 물론 미용실을 장려하고 있지만 강제 조항은 아니었다. 더러는 능숙한 솜씨로 직접 손질을 하기도 했다. 물론 나도 마땅히 그래야만 한다. 나는 밤마다 헤어 카탈로그를 손에 쥐고 구슬땀을 흘려 가며 세팅 방법을 익히고 또 익혔다.

* * *

드디어 호스티스 데뷔 첫날.

오후 다섯 시, 땡 하자마자 나는 회사에서 나와 번개같이 집으로 달려갔다. 샤워하고 화장하고 머리 손질까지 한 시간, 그리고 전철에 뛰어올라 개점 30분 전까지 클럽에 도착! 빈방에서 화장을 고치고 머리를 묶어 올린 뒤 하늘색 롱드레스를 걸쳤다. 그리고 거울 앞에 섰다.

거울 안에는 처음 보는 내가 서 있었다. 비록 다른 호스티스들이 입고 있는 고급 드레스에는 발끝에도 못 미칠 만큼 싸구려일지라도, 그렇게 치장을 하고 나니 왠지 마음이 들뜨기 시작했다. 20대 중반 이후로 몇 년 동안 '멋'과는 아주 동떨어진 생활을 해 왔던 나로서는 참으로 설렐 수밖에 없는 순간이었다.

클럽 사와에 종사하는 호스티스는 모두 25명이며 상주 호스티스는 15명 남짓이다. 최고급 클럽이라기보다는 마담의 인맥을 중심으로 돌아가는 아늑한 분위기의 중급 클럽이라고 할 수 있다. 이제 나도 이 클럽의 멤버로서 생애 최초의 '손님'을 맞이하게 될 것이다.

소파에 앉아 시계만 바라보며 영업 개시를 기다리고 있자니 갑자기 불안감이 밀려오기 시작했다. 평소에도 낯가림이 심한 내가 과연 이 일을 감당해 낼 수 있을까? 완전히 망쳐 버리지나 않을까? 초침이 한 바퀴, 두 바퀴 돌아갈수록 긴장 때문에 현기증까지 느껴졌다. 그것을 눈치 챈 마담이 나를 밖으로 불러냈다.

"아마리, 어깨 쫙 펴! 어려울 거 하나도 없어. 그냥 사근사근

웃으면서 상대방 이야기만 잘 들어 주면 돼. 괜찮아."

나는 멍한 표정으로 고개를 끄덕였다. 그래도 불안했던지 마담은 세 가지 규칙을 설명해 주었다.

"첫째, 손님이 잔을 비우면 곧바로 술을 따른다. 둘째, 담뱃불은 호스티스가 켜고 재떨이에 꽁초 네 개비가 쌓이면 교체한다. 셋째, 대화의 포인트에서는 약간 과장되게 손님을 치켜세운다. 이것만 명심해, 알았지?"

나는 속으로 그 세 가지를 몇 번이나 반복했다. 그러는 동안 손님을 동반한 호스티스들이 차례차례 룸으로 들어오기 시작했다.

"어머, 사장님! 어서 오세요."

마담은 활짝 웃으면서 익숙하고 자연스러운 솜씨로 손님을 앉힌 뒤 나에게 시선을 돌리며 "아마리, 야마사키 씨 자리에 보조로 붙어" 하고 말했다. 내 이름이 불리자 몸에 전율이 흘렀다.

자리에는 고급스러운 슈트에 품위 있는 초로의 남자와 그 접대 상대로 보이는 두 명의 중년 남자가 앉아 있었다. 나는 그 옆자리로 가서 인사했다.

"실례합니다. 아마리예요. 잘 부탁드립니다."

목소리가 살짝 떨렸는데 눈치 채지는 않았을까, 초짜라고 비웃지는 않을까?

호스티스는 각각 자신을 '지명'해 주거나, '동반'이라 하여 미리 약속을 정해서 함께 가게까지 동행하곤 하는 스폰서가 있다. 가장 구석진 자리에 우두커니 앉아 있으니, 그 손님의 담당 호스티스가 오늘 막 들어온 나를 손님에게 소개했다. 하지만 손님은 누가 봐도 아름다운 호스티스들 틈에 생뚱맞게 끼어 있는 나를 그저 한번 힐끗 쳐다볼 뿐이었다. 그 눈빛은 마치 '뭐야, 얘는?' 하고 툴툴거리는 듯한 느낌이었다. 나는 무심코 속으로 '죄송합니다'라고 중얼거렸다.

물론 손님들은 다들 신사적이라 대놓고 불만을 드러내지는 않았고, 시종일관 분위기는 온화했다. 나는 무조건 생글생글 웃으며 좌중의 이야기를 열심히 듣기만 했다. 지금 내가 할 수 있는 건 마담이 일러준 세 가지 규칙뿐이다.

'빈 잔을 집어 들어 표면의 물방울을 손수건으로 닦고 술을 따른다. 손님이 담배를 꺼내면 재빨리 라이터로 불을 붙인다. 대화의 포인트에서 약간 과장되게 액션을 취한다.'

잔, 재떨이, 리액션, 잔, 재떨이, 리액션…… 머릿속에서 끝없이 반복했지만 여전히 초조했다. 손님의 이야기에 신경 쓰다 보면 잔이 빈 것을 눈치 채지 못하고, 설령 눈치 챘더라도 손을 뻗으려 하면 이미 선배 호스티스가 잔을 채우고 있었다. 평소에도 행동이 굼뜬 터라 담뱃불을 붙이는 타이밍에서도, 재떨이를 교체하는 속도에서도 경험이 풍부한 선배 호스티스를 당해낼 재간이 없었다.

그녀들은 사방에 눈이 달려 있는 것 같았다. 모든 것을 꿰뚫어 보는 배려는 물론이거니와 겉으로는 조금도 티가 나지 않을 만큼 자연스러웠다. 나는 선배들에게 진심으로 존경심이 일었다. 그렇다면 이제 내게 남은 것은 리액션뿐이다.

'대화에 쓸데없이 끼어들지 말고 분위기를 파악하는 데 집중하자.'

단지 이 시간 자체를 즐기기 위한 대화, 조크와 유머가 끼어드는 그 포인트에서 웃거나 어울리는 액션을 취하는 것이다. 그러자 차츰차츰 손님의 반응이 느껴졌다.

시간이 얼마나 흘렀을까? 문득 시계를 보니 밤 11시 30분이 넘어가고 있었다. 호스티스 데뷔 첫날, 정신없이 네 시간이 훌쩍 흘러간 것이다. 그사이 대체 몇 테이블을 돌았던가? 머리가 어지럽고 천장이 빙빙 도는 것 같았다.

첫 번째 날이 이렇게 끝났다. 나는 빈방에서 혼자 옷을 갈아입고 마담과 다른 호스티스들에게 꾸벅 인사를 했다.

"먼저 가 보겠습니다!"

그러고는 곧장 가게를 나와 전철에 올랐다. 늦은 시간인데도 전철은 북적북적했다. 승객들의 시선이 일제히 내게로 와서 꽂혔다. 옷차림은 평범하고 수수한데, 머리 모양이며 화장은 너무도 튀었던 것이다.

'제발, 아는 사람한테 들키지만 마라.'

나는 간절히 기도하면서 구석진 출입문에 몸을 잔뜩 기댔다. 창에 비친 내 모습이 그렇게 낯설 수가 없었다. 나는 오늘 하루 동안 있었던 일들을 차근차근 되새김질하기 시작했다. 모든 것이 처음이었던 하루였다.

* * *

D-11개월.

눈 깜짝할 사이에 한 달이 훌쩍 지났다. 나만의 카운트다운으로는 앞으로 11개월이 남은 셈이다. 이제 가게 분위기도 조금씩 파악할 수 있게 되었다. 동료들의 수다를 엿들으며 긴자, 클럽, 호스티스의 세계, 그리고 마담에 대해서도 여러 가지 사실들을 알게 되었다.

클럽 사와를 수십 년째 운영해 오고 있는 마담은 언제나 세상사에 통달한 것처럼 보였지만, 어딘가 살짝 푼수기가 있는 귀여운 캐릭터였다. 그녀의 정확한 나이를 아는 사람은 아무도 없지만 대략 예순쯤은 된 것 같다고 한다. 그 연배치고는 등을 항상 꼿꼿이 펴고, 언제나 쇼트커트에 기모노 차림 등 흐트러짐이 전혀 없다. 그중에서도 흰 기모노 차림은 마담의 트레이드 마크가 되어 있었다.

젊은 시절 다른 클럽에서 호스티스로 일할 때 알았던 손님들은 여전히 그녀를 찾아온다. 이제는 다들 사회 원로급이 되어 "연금 할인으로 잘 부탁한다!", "내년엔 못 올지도 모른다!" 하며 짓궂은 농담을 던지곤 한다.

마담이 긴자에 자기 가게를 낸 것은 20대 초반, 당시 긴자의 마담 중에서는 최연소였기에 가히 전설적인 인물로 불렸다고 한다. 물론 근거 없는 소문도 무성했다. 주로 아이가 있다거나, 젊은 시절 유부남과 불같은 연애를 했다거나, 혹은 여배우 지망생이었다는 얘기들이다.

마담을 중심으로 하는 클럽 사와는 화기애애하고 아늑한 분위기를 지닌 중급 클럽이지만, 그래도 역시 긴자 클럽이라서 자리에 앉기만 해도 기본이 3만 엔이다. 하지만 손님들은 그런 것엔 전혀 개의치 않고 기세 좋게 비싼 술을 주문한다. 어지럽게 날아다니는 돈뭉치를 보며 나는 그저 어안이 벙벙했다.

여러 손님들을 대하면서 나는 차츰 세 가지 규칙에 익숙해져 가기 시작했다. 하지만 여전히 다른 호스티스들의 눈치나 배려, 씀씀이에는 따라갈 수 없었다.

그러던 어느 날, 마담이 나를 따로 불렀다.

"어때? 해볼 만해?"

"솔직히, 아직은 선배들 따라가기도 버거워요. 제가 워낙 둔하고 재능도 없어서……."

"가진 게 없다고 할 수 있는 것까지 없는 건 아니지."

"예?"

"아마리, 손님들이 왜 클럽에 와서 술을 마시는 것 같아?"

"……그건 아무래도 고급스러운 분위기, 서비스……."

내가 더듬거리자 마담이 미소를 지으며 말했다.

"평생 이 일을 하면서 확실히 알게 된 게 있다면 그건 '사람은 결국 혼자'라는 거야. 낮 동안에는 그걸 인식할 겨를이 없지만, 밤이 되면 절실히 와 닿게 마련이지. 미녀들의 웃음이나 고급스러운 분위기, 값비싼 양주는 소품에 불과해. 능숙한 서비스도 역시 소품이야. 정말 중요한 건 마음의 메아리인 것 같아."

솔직히 너무 평범하고 일반적인 얘기들이었다. 사람은 누구나 외롭다는 것, 그리고 마음에서 우러나오는 서비스가 필요하다는 건 나도 안다. 그런 얘기를 구태여 따로 불러서 할 필요가 있을까?

하지만 마담이 왜 그런 얘기를 했는지, 그리고 그게 어떤 의미인지는 좀 더 시간이 흐른 뒤에야 알 수 있었다. 다른 호스티스들을 보면 정말 말솜씨가 뛰어난 사람도 있다. 그들은 이야기의 미세한 리듬을 능숙하게 이끌 수 있고, 교섭을 필요로 하는 대화의 테크닉도 놀랍다. 말주변이 없는 나로서는 그들을 따라간다는 사실 자체가 불가능했다.

하지만 자리가 거듭될수록 손님들과의 대화 사이에서 어떤 빈 공간이 느껴졌다. 말하는 사람의 이야기가 듣는 사람의 마음에 채 들어가지 못하고 겉돌 때일수록 그 빈 공간에서 느껴지는 허전함은 더욱 커졌다.

나는 그 느낌을 잘 알고 있었다. 무리 속에서 철저히 혼자가 되어 본 사람이라면 그 느낌을 이해할 수 있다. 회사의 회식자리나 회의 때, 혹은 휴게실에서 잡담을 나눌 때마다 나는 아무도 나와 '연결'되어 있지 않다는 느낌을 받곤 했었다.

그래서 나는 손님들과의 대화에서도 '연결'이 필요하다고 느꼈다. 마음이 접속에 성공하면 마담이 했던 말처럼 메아리가 울리지 않을까? 그때부터 나는 '경청'에 전념하기로 했다. 입을 열기보다는 귀를 잔뜩 기울이고 전체적인 맥락만 파악하면 적어도 '분위기 깨는 신세'는 면할 수 있을 거라고 생각한 것이다. 더 나아가 마담이 가르쳐 준 대로 대화의 포인트에서는 약간 과장되게 손님을 치켜세우는 것이다. 그러던 중에 요령을 터득하기 시작했다.

대화의 포인트란 한 문장이 끝나는 지점, 즉 마침표를 찍는 곳이다. 그런 부분에서는 고개를 끄덕이거나 가볍게 맞장구를 친다. 그리고 약간 과장되면서도 티 나지 않게 칭찬하거나 치켜세운다. 물론 처음에는 모든 게 두려워 머뭇거리기 일쑤였지만 요령을 터득한 뒤로는 점점 즐거워졌다.

치켜세울 때는 철저히 치켜세워야 한다. 평소라면 전혀 하지 않을 법한 과장된 리액션으로 "멋져요", "끝내줘요", "어머나, 세상에!"라는 극찬을 아끼지 않는다. 간혹 '조금 오버했나?'라는 생각이 들긴 했지만, 손님이 즐거워했기 때문에 오히려 내가 놀랄 정도였다. 인간관계에 있어서는 완전 숙맥인 데다가 낯가림도 심한 내가 이런 리액션을 취할 수 있다는 게 도무지 믿어지지 않았다.

어쩌면 그동안 살아오면서 나 스스로도 전혀 눈치 채지 못한 재능을 이제야 발견한 건 아닐까? '칭찬을 잘하는' 재능도 재능이라면 말이다.

사실 미인도 아니고, 스타일도 엉망인 데다가 말주변도 없고 도무지 내세울 게 하나도 없는 내가 여기서 잘리지 않고 계속 일하려면 없는 재능이라도 만들어 내야 할 판이었다. 그런 각오로 발버둥 치다 보니 '잘 들어 주고, 성의껏 칭찬하는' 재능 아닌 재능이 발굴된 것이다. 물론 그런 재능이 제대로 기능하려면 최우선적으로 진심 어린 경청이 우선되어야 하지만.

덕분에 내가 앉은 자리는 '썰렁' 단계를 지나 점점 흥겨운 분위기로 바뀌어 갔다. 술을 잘 마시지 못한다는 약점도 의외로 쉽게 극복되었다. 손님들은 내게 술을 권하기보다는 이야기를 들어주는 것을 원했다. 그러면서 언제부터인가 클럽 사와에서도 아마리를 찾는 손님이 생겨나기 시작했다. 나는 마담이 했던 이야기를 새삼 떠올렸다.

'가진 게 없다고 할 수 있는 것까지 없는 건 아니지.'

지속적인 당당함은
자기 무대에서 나온다

D-10개월.

불볕더위도 한풀 꺾이고 서서히 가을로 접어들고 있다. 낮과
밤을 달리하고 회사 생활과 호스티스 생활을 병행하는 이중생활
도 이젠 제법 익숙해졌다. 다만 클럽 동료들과의 관계만큼은 아
직 엇박자였다. 특히 레이나와의 관계가 가장 껄끄러웠다.

클럽 사와에서 일하는 25명의 호스티스들은 나이도 근무 형태
도 제각각이었고 각자 복잡한 사정을 품고 있었다. 나는 이곳의
아늑한 분위기가 맘에 들지만, 호스티스 중에는 가게 분위기에
녹아들지 못하거나 '여기서는 원하는 손님을 절대 잡을 수 없다'
며 다른 가게로 옮겨 가는 이들도 있었다. 그래서 한 달도 채 안

돼 그만두는 사람도 꽤 있다. 반면에 10년 넘게 일하고 있는 사람도 있는데, 레이나가 바로 그런 경우다.

레이나는 나보다 세 살 위인 선배였다. 마담에 버금갈 만큼 존재감이 있고, 호스티스 일에도 능숙해서 처음 온 손님들은 종종 새끼 마담으로 착각하곤 했다. 하지만 그녀는 내가 클럽에 처음 들어왔을 때 누구보다 못마땅하게 여겼다. 언제나 마주치면 '볼품도 없고 경험도 없는 애가 여긴 왜 와?' 하는 눈빛으로 나를 보곤 했다. 하긴 클럽의 모든 호스티스들이 똑같은 생각이었을 것이다. 레이나는 그런 마음을 솔직히 겉으로 드러냈을 뿐이다.

기분은 나빴지만 사실 나로서는 아무런 변명거리도, 스스로 변호할 만한 최소한의 무기도 없었다. 내가 할 수 있는 거라곤 그저 묵묵히 열심히 일하는 것뿐이었다.

그런 어느 날, 나는 평소처럼 선배 호스티스의 보조로 붙어 손님을 맞았다. 인사를 하자마자 성깔 있게 생긴 젊은 손님이 미간을 잔뜩 찌푸리며 호통을 쳤다.

"얜 뭐야? 마담! 당장 다른 애로 바꿔!"

나는 가슴 속에서 뭔가 쿵 내려앉는 것처럼 충격을 받았다. 아무리 발버둥을 쳐도 나란 인간은 이 세계에서 삼류 이하밖에 안 된다는 것쯤이야 나도 잘 안다. 하지만 빤히 얼굴을 보며 직접 그런 말을 하다니…… 엄청난 충격이었다.

나는 어깨를 축 늘어뜨린 채 터덜터덜 대기실로 돌아갔다. 그때 뒤에서 누군가 살며시 어깨를 두드려 주었다.

"괜찮아, 그냥 흘려들어. 어딜 가나 저런 손님은 있기 마련이야. 힘내!"

깜짝 놀랐다. 다름 아닌 레이나였기 때문이다.

"아, 네에……."

어떤 표정을 지어야 할지 난감해하는 사이, 레이나는 별일 아니라는 듯이 한쪽 눈을 찡긋하고는 다시 자기 자리로 돌아갔다.

그 일은 내게 아주 중요한 사건이었다. 왜냐하면 그날 이후로 나도 '친구'란 걸 얻었기 때문이다. 레이나는 내 주변을 소리 없이 맴돌면서 알게 모르게 나를 걱정하고 신경을 써주었다. 내가 손님에게 싫은 소리를 듣거나 마담에게 혼난 날이면 집에 돌아가서도 "오늘 괜찮았니?"라고 꼭 전화나 문자를 보내곤 했다. 짓궂은 손님이 무리한 요구라도 할 때면 어느새 내 곁으로 다가와 유연한 솜씨로 방어벽을 쳐주기도 했다.

그런 레이나의 행동에 처음엔 적잖이 당황했다. 지금껏 내게 그렇게 신경 써준 사람이 없기도 했거니와, 누구보다 나를 못마땅해 하던 사람이었으니까.

'왜 나에게 이렇게 친절할까?'

레이나의 마음씀씀이가 정말 고마웠지만 한편으론 너무 궁금했다. 나중에야 나는 그 이유를 레이나에게 직접 들을 수 있었다.

"처음엔 기가 막히고, 다음엔 안쓰럽고, 또 그 다음엔 너무 열심이라 그냥 친구가 돼주기로 했지 뭐."

그게 다였다.

솔직히 나는 남들과 엮이는 것도 싫어하거니와 괜히 남 일에 참견하는 사람과는 아예 거리를 두는 성격이었다. 하지만 지금은 '레이나가 없었다면 어떡할 뻔했지?' 하는 생각마저 든다. 진심이 느껴지는 그녀의 따뜻한 위로와 격려가 눈물 날 만큼 기뻤고, 그 힘으로 긴자의 호스티스 생활을 이겨 나갈 수 있게 된 것이다.

마음을 열고 보니 레이나는 아주 시원시원한 여장부 스타일이었다. 게다가 의리도 있어 한 번 마음에 든 사람은 철저히 챙기고 소중한 가족처럼 보살펴 준다. 가끔 휴식 시간이 생기면 난 어김없이 그녀 곁에 앉아 수다를 떨었다.

"있잖아, 이건 비밀인데 난 두 아이를 키우고 있어."

레이나가 말했다. 그녀는 두 살, 세 살 난 아이를 가진 싱글맘이었다. 레이나 본인도 그런 엄마에게서 자랐다고 한다. 술집을 하던 엄마는 남자에게 쉽게 의지하는 타입이라 돈과 먹을 것만 챙겨 두고 나가서는 몇 주 동안 돌아오지 않는 일도 종종 있었다고 한다. 남자와의 분쟁도 끊이지 않아 한번은 흉기를 든 남자가 집으로 쳐들어온 적도 있었단다. 그런 이야기를 레이나는 마치 드라마 줄거리 이야기하듯 천연덕스럽게 들려주었다.

"가족이란 건 말이야, 보이지는 않지만 어떤 질긴 끈 같은 걸로 단단히 연결돼 있어야 해. 안 그러면 엉망이 돼 버리거든. 가족이든 친구든 자기 주변 사람들을 소홀히 여기면 결국 인생이란 게 비극으로 치닫게 돼."

레이나 주변에 사람이 많은 것도, 그들 모두 마치 가족처럼 결속력이 강한 것도 이해할 수 있을 것 같다. 그녀 스스로 남보다 절실히 가족이라는 끈을 찾고 있기 때문이다.

"아마리, 돈 벌어서 뭐 할 거야?"

어느 날 레이나가 불쑥 물었다. 나는 약간 난감해 하다가 '비밀'이라는 단서를 붙이고 '라스베이거스'라고 말했다. 그러자 레이나는 충분히 이해한다는 표정으로 이렇게 말했다.

"난 고향 바닷가에다 음악 카페 차리는 게 꿈이야. 카페 겸 레스토랑 말이야. 주방은 아주 커야 해. 왜냐하면 대식구가 함께 해야 하니까."

"대식구?"

"내 아이들, 그리고 그 아이들의 친구들, 그리고 내 친구들까지 죄다 모일 수 있는 공간이니까. 멋지지? 아마리, 너도 초대할게."

아픈 과거를 갖고 있으면서도 누구보다 쾌활하고 명랑하게 살

아가는 그녀를 보면 '사람의 운명이란 스스로 만들어 나가는 것'
이라는 흔해 빠진 이야기가 새삼 와 닿는다.

* * *

레이나 덕분에 서먹서먹했던 동료들과도 조금씩 가까워졌다.
그중에는 '치카' 같은 별종도 있다. 그녀는 여자인 내가 봐도 반
할 만큼 몸매도 늘씬하고 얼굴도 예쁘다. 게다가 '이런 데'서 일
하는 여자들에게서는 좀처럼 찾아보기 어려운 요조숙녀 같은 분
위기마저 풍겼다. 알고 보니 그녀는 실제로 고베 출신의 '대단한
집' 딸이었다.

치카는 손님이 권하는 술을 절대로 거절하는 법이 없다. 정말
잘 마신다. 게다가 엄청난 독서가였다. 나도 책은 꽤 읽는 편이라
생각했지만, 치카의 풍부한 지식에는 비할 바가 못 되었다. 치카
가 인기 있는 건 당연한 일이다. 그래서 그녀는 누구보다 개인 손
님을 많이 확보하고 있었고 마담도 그런 치카를 아주 마음에 들
어 했다. 정말이지 치카를 싫어하는 사람은 한 명도 없었다.

나는 언제부터인가 치카의 손님이 방문하면 그 옆에 보조로
붙거나, 레이나의 손님 옆자리에 치카와 나란히 함께하곤 했다.
그렇게 셋이 손님을 맞는 날은 모두가 파티처럼 시간을 보낼 수

있었다.

치카는 분위기도 잘 읽고 지식도 풍부해서 어떤 화제든 자연스럽게 이어 나갈 수 있었다. 그래서 나는 곤란할 때면 "그렇지? 치카" 하며 말을 넘기곤 했다. 그러면 치카는 절대 아는 척하지 않고, 지식을 과시하는 일도 없이 대화를 이끌어 갔다. 때론 아는 것도 모르는 척해 가며 손님에게 공을 돌릴 줄도 알았다. 나는 가끔 그녀가 어떻게 사람의 마음을 사로잡는지 감탄스럽게 지켜보곤 했다.

어느 날, 단골손님이 쌍둥이 남자 손님 두 명을 데려온 적이 있었다. 우리는 입을 모아 "정말 똑같아, 똑같아!"를 연발했다. 하지만 치카만은 "전혀 닮지 않았는데요?" 하고 말했다. 우리는 놀랐지만 쌍둥이 손님들은 기뻐하며 이렇게 말했다.

"우린 어딜 가나 똑같다는 말을 귀가 닳도록 들었지. 그런데 닮지 않았다는 말을 들으니 새삼 개성을 인정받은 것 같아 기분이 좋군 그래."

치카는 그런 사람이었다. 그런 요조숙녀가 어쩌다가 긴자의 호스티스가 되었는지 나는 늘 의아했다. 어느 날 호기심을 참지 못하고 레이나에게 물었더니 "아마 연극에 빠지는 바람에 가족들과 소원해진 모양이야"라고 했다. 치카는 지금도 버는 족족 연극 활동에 쏟아붓고 있는 모양이었다. 집안의 도움 없이 혼자 힘으로 극단을 꾸려 나가다 보니, 정작 본인은 아주 작은 원룸에서 소박하게 살고 있다는 것이다. 긴자에서 잘나가는 호스티스라면 월세가 10만 엔이나 되는 호화로운 고급 맨션에 사는 사람도 적지 않다. 하지만 치카는 그런 데에 전혀 관심이 없었다. 마치 연극만을 위해 사는 사람 같았다.

그런 치카가 어느 날 나를 초대했다.

"아마리, 내 무대 보러 오지 않을래?"

반가운 제안이기도 했지만, 그보다는 도대체 무엇이 그녀를 그토록 빠져들게 했는지 확인하고 싶었다. 그로부터 일주일이 지난 어느 휴일, 나는 나카노의 소극장 객석에 앉아 치카의 연기를 숨죽이고 지켜봤다. 그녀가 맡은 배역은 주인공의 상대역인 악역이었다. 늘 생글생글 웃기만 하는 그 선한 얼굴이 무대에서는 전혀 다른 얼굴로 변해 버렸다. 자기 역할에 완전히 몰입해 있는 치카에게서 나는 굉장한 감명을 받았다. 연기를 잘하고 못하고는 나랑 상관없었다. 그저 그토록 몰두할 수 있는 자기만의 인생을 살아가는 그녀가 나는 진심으로 부러웠다.

"어땠어?"

공연이 끝나자마자 치카는 재빨리 옷을 갈아입고 나왔다. 분장이 지워진 그녀의 얼굴은 다시 '내가 알던 치카'로 돌아와 있었다.

"응, 너무너무 재미있었어!"

"정말? 아, 기분 좋다!"

치카의 뺨이 붉게 상기되었다. 그러고는 "단원들하고 뒤풀이가 있으니까 나중에 가게에서 만나!" 하며 서둘러 분장실로 되돌아갔다. 나는 치카의 뒷모습을 바라보며 그 자리에 한참 서 있었다.

'치카한텐 자기 무대가 있구나.'

호스티스들은 저마다 화려하게 살기 위해, 아이를 키우기 위해, 해외 유학을 가기 위해, 혹은 자기 가게를 열기 위해 대부분 투잡으로 일을 한다. 나 역시 낮엔 파견사원, 밤엔 호스티스로 일하고 있지만, 치카처럼 목적과 수단을 동시에 수행하는 건 아니다. 나에게는 두 가지 일 모두 '라스베이거스에서의 화려한 마지막'을 위한 수단일 뿐이다. 솔직히 라스베이거스 행 역시 인생의 목적이라고 말하기엔 너무 한시적이다. 나에게 그 다음은 없다. 그러니까 지금 나를 살아가게 만드는 힘은 1년짜리 시한부 에너지인 셈이다.

하지만 치카는 그렇지 않다. 늘 활기차고 에너지 넘치는 그녀의 힘은 연극이라는 인생의 목적과 호스티스라는 수단을 동시에 추구하는 데에서 나오고 있다. 바닷가의 아름다운 음악 카페를 꿈꾸는 레이나의 힘 역시 마찬가지다. '자기 무대'를 가진 사람 특유의 자신감과 지속적인 당당함, 그런 것들이 나에게는 없다. 외톨이는 사람들로부터 소외됐기 때문이 아니라, 자기 무대를 만나지 못했기 때문에 외톨이인 것이다. 라스베이거스에 가겠다는 집념은 변함없지만, 솔직히 그들이 너무 부럽다.

사람들은 긴 학창시절 동안 참 많은 것을 배운다. 수없이 시험을 치르고 성적을 올리고 많은 공부를 한다. 그리고 사회에 나와 직장을 구하고 열심히 일을 한다. 하지만 그 모든 과정도 대부분 인생의 수단을 갖기 위한 것에 불과하다. '그 다음'은 가르쳐 주지 않고, 또 그럴 수도 없다. 그것은 자기 안에서 찾아야 하기 때문이다.

나는 그것을 찾지 못했다. 만일 텔레비전 화면에서 라스베이거스를 만나지 못했더라면 그나마 지금 같은 시간도 갖지 못했을 것이다.

단 한 걸음만 내디뎌도
두려움은 사라진다

D-9개월.

어느 날 마담이 내게 말했다.

"아마리, 그 드레스 너무 뚱뚱해 보여. 자긴 원래 뚱뚱하니까 좀 더 날씬해 보이는 옷으로 골라 봐. 그리고 그 구두 말이야, 약간 높은 걸로 바꾸는 게 어때?"

기가 팍 꺾였다.

뚱뚱한 여자가 면전에서 '뚱뚱하다'는 말을 직접 듣는 경우는 사실 거의 없다. 실례를 넘어 너무도 잔인한 말이기 때문이다. 하지만 여기서는 이런 말을 아무렇지도 않게 해댄다. 특히 마담은 더욱 그렇다. 이해한다. 왜냐하면 마담에게 호스티스는 일단

'상품'이기 때문이다. 가게를 지탱하는 호스티스들이 예쁜 옷을 입고 있으면 기뻐하고, 어울리지 않는 옷을 입고 있으면 고개를 젓는 게 당연하다. 마담은 내게 '볼에 뭐 묻었네?' 하는 식으로 '너무 뚱뚱해 보이잖아'라는 말을 스스럼없이 한다. 그것 말고도 마담은 시시콜콜한 부분까지 내게 직언을 해준다.

"파운데이션은 꼼꼼히 발라. 들뜨면 보기 싫어."

"립스틱은 좀 더 선명한 색을 골라 봐. 그렇게 칙칙한 색을 바르면 상대방 기분마저 칙칙해지잖아."

엄마한테서도 배운 적이 없는 것들을 여자의 시선으로 일일이 지적해 주는 마담이 가끔은 너무도 자상하게 느껴질 때도 있다.

"담뱃불 붙일 때는 손님이 눈부셔 하지 않게 한 손으론 불을 막고, 다른 손으로 불을 붙이도록 해."

"웃을 때는 입을 크게 벌리지 말고, 손을 입 근처에 대고 우아하게 웃어."

물론 그 모든 세심함이 가게를 유지하기 위한 방침의 일부인 건 사실이지만, 누군가 자신을 위해 매순간마다 꼼꼼히 지적해 준다는 건 고마운 일이다. 다른 곳에서라면 평생 자각하지 못할 것들을 나는 마담에게서 아주 많이 배우는 셈이다.

경력이 많은 호스티스들은 대부분 자기만의 스타일을 갖고 있기 때문에 마담의 충고를 귓전으로 흘려듣기도 한다. 하지만 나

같은 초짜는 뭐든지 "예예" 하고 진지하게 귀담아 들을 수밖에 없다. 그래서인지 마담은 용모도 처지고 술도 못 마시는, 전혀 긴자의 호스티스 같지 않은 나를 어떻게든 보듬어 주려고 애쓴다.

'그래, 새 드레스랑 구두를 장만해야겠어.'

날마다 눈부시게 예쁜 여자들의 패션과 화장을 가까이에서 봐 온 터라 나도 점점 눈이 높아지고 있었다. 처음에 주머니를 탈탈 털어 샀던 드레스는 세련 따위와는 정말 거리가 먼 옷이다. 내가 봐도 확실히 뚱뚱해 보였고, 고급스러운 옷으로 휘감은 여러 호스티스들 틈에 서면 너무 생뚱맞아 보였다. 이래선 곤란하다. 마담도 언젠가는 정나미가 떨어져 "아마리, 내일부터 쉬어!"라는 말을 하게 될지 모른다. 실제로 마담 눈 밖에 나서 잘린 호스티스들도 여러 명 있었다. 마담의 말투는 온화하지만 토를 달 수 없는 카리스마가 있다.

그래, 마담은 자선사업을 하는 게 아니다. 경영자인 것이다.

그러니까 나도 앞으로 계속 긴자에서 일하며 돈을 모으려면 어쩔 수 없이 좋은 옷을 장만해 둬야만 한다. 그런데 문제는 앞으로 9개월 안에 많은 돈을 모아야 한다는 점이다.

나는 딜레마에 빠졌다. 계획했던 대로 돈을 모으려면 호스티스 일을 계속해야 하고, 그러자면 드레스며 구두며 자기 투자를 지속적으로 해야만 하는 것이다. 하지만 내가 계획한 라스베이거스 일정은 7일이며, 경비는 200만 엔이다. 거기서 원 없이 호화롭게 보내려면 조금이라도 빨리, 더 많이 자금을 불려야 한다.

밤낮으로 일하고 지출을 최소화해도 현재 통장 잔고는 아직 30만 엔을 못 넘고 있다. 나는 초조했다. 앞으로 9개월 안에 최소한 170만 엔을 더 모을 수 있을까? 이 상태론 불가능하다. 하루 세 끼와 원룸 유지비용은 극단적으로 줄여야 하고, 휴일과 주말을 이용해서 또 다른 일을 해야만 한다.

며칠 동안 남모르게 고민하고 있을 때, 마침 메구미가 말을 걸어 왔다. 치카의 극단 후배인 메구미 역시 배우의 길을 걷고 싶어 한다. 그녀는 언제 어떤 역할을 맡아도 능숙하게 해낼 수 있도록 날마다 다양한 캐릭터를 공부하고 있었다. 나보다 세 살 아래인 스물여섯이지만 레이나처럼 그녀 역시 싱글맘으로, 생활을 위해 밤에는 호스티스 일을, 낮에는 댄스 스쿨에서 댄스를 가르치고 있었다. 내가 돈 문제로 고민하고 있다는 사실을 어떻게 알았는지 메구미는 내게 '수지맞는 아르바이트'를 알려줬다. '수지맞다'는 대목에서 나는 잔뜩 구미가 당겼다.

"어떤 일인데? 설마 불법 같은 건 아니겠지?"

"누드모델이야."

"누드모델…… 옷 벗는 그 누드모델?"

"응, 미대생들 앞에서 나체로 포즈만 취하면 돼."

미술계에는 모델 전문 에이전시가 있는데, 메구미도 그곳 소속이라고 했다.

"꽤 짭짤한 아르바이트야. 두 시간에 1만 엔. 해볼래?"

나더러 사람들 앞에서 발가벗으라고?

"못 해! 죽어도 못 해!"

나는 딱 잘라 거절했다.

"왜?"

"왜라니?"

나는 그녀가 '왜?' 하고 천진한 눈빛으로 물어 오리라고는 상상도 못 했다.

"창피해……."

그러자 메구미는 타이르듯 말했다.

"거기 사람들은 여자 몸을 보러 오는 게 아니야. 나체를 모티브로 데생 기술을 연마하려는 것뿐이야."

물론 그렇겠지. 하지만 메구미처럼 몸매가 좋다면 모를까, 나조차도 쳐다보기 싫은 이런 몸을 사람들 앞에 죄다 드러내놓을 수는 없는 노릇 아닌가.

"너야 몸매도 늘씬하고 얼굴도 예쁘지만 난……."

"비너스가 S라인이디?"

"무슨 소리야?"

"누드모델은 의외로 통통한 사람이 인기가 좋아." "정말?"

의외였다. 모델은 당연히 늘씬해야만 한다고 믿었는데.

"오히려 너 같은 체형이 더 수요가 많기도 해. 그리고 그게 말이야, 처음엔 죽기보다 싫겠지만 하다 보면 재미도 있거든."

그녀의 태평스러운 웃음을 보고 있자니 왠지 저항감이 사라지는 것 같았다. 마음 한 구석에서는 '정말 이런 체형도 필요로 할까?' 하는 호기심마저 생겨났다.

"한번, 해볼까……?"

"해볼래?"

머뭇머뭇, 쭈뼛쭈뼛, 한참 망설이다 나는 작심하고 고개를 끄덕였다. 메구미는 생긋 웃었다.

"그래, 알았어. 내가 사무실 가서 얘기해 놓을게."

메구미가 나간 뒤에도 내 가슴은 쉴 새 없이 콩닥거렸다.

* * *

그 다음 주 토요일, 드디어 사람들 앞에서 옷을 벗는 날이다.

'아아, 말도 안 돼!'

긴자의 클럽에서 일하기 시작하면서부터 나는 거의 매일같이 '생전 처음'이라는 말을 달고 살 만큼 낯선 경험들을 많이 해왔다. 하지만 그 어떤 일도 누드모델만큼 두렵지는 않았다. 메구미한테 해보겠다고는 했지만, 나는 여전히 마음의 준비를 못 한 채 기어코 디데이를 맞았다.

'부모님은 뭐라고 하실까?'

생각이 거기에 미치자 가슴 한 구석이 저려 왔다. 좁은 집에서 아버지의 휠체어를 밀고 있는 엄마의 모습이 떠올랐다. 도망치듯 집을 뛰쳐나간 딸이 호스티스와 누드모델 일을 하고 있다는 사실을 안다면 두 분 모두 기절해 버리지 않을까. 물론 나쁜 일을 하는 건 결코 아니다. 그래도 왠지 스스로 완전히 떳떳해지기는 힘들다.

나는 우울한 심정으로 한 걸음, 두 걸음 문화센터로 향했다. 200미터도 채 안 되는 길인데 너무나도 멀고 아득하게 느껴졌다. 가다가 멈추고, 또 가다가 멈추고, 몇 번이나 다시 돌아갈까도 생각했다. 하지만 한 번 약속한 것을 깨뜨릴 수는 없었다. 메구미의 얼굴에 먹칠을 할 수는 없지 않은가.

'아냐, 아무래도 누드모델은 아닌 것 같아. 돌아가자, 가서 메구미한테 백배사죄하자.'

그러는 동안, 어느새 눈앞에 '크로키 교실'이라고 적힌 간판이 떡하니 나타났다.

'아, 기어코 와버렸구나!'

나는 잠시 꼼짝 않고 서 있었다.

한 걸음이 문제다. 여기서 앞으로 한 걸음 내딛는 것과 뒤로 한 걸음 물러나는 것은 엄청난 차이가 있다. 느닷없이 '한 인간에 게는 작은 걸음이지만 인류에게는 커다란 도약'이라던 닐 암스트롱의 말이 떠올랐다.

'그런데 그게 이거하고 무슨 상관인데? 과연 지금 내가 디디게 될 한 걸음이 내 운명의 커다란 도약이 될 수 있을까?'

그때 마음속에서 또 다른 목소리가 들려왔다.

'어차피 죽을 거잖아. 쓸데없는 감상 따윈 집어치워!'

그래, 지금 나에게 필요한 것은 돈이다. 단지 옷을 벗고 서 있기만 해도 1만 엔을 받을 수 있다. 갑자기 머릿속에 휘황찬란한 라스베이거스의 풍경이 떠올랐다. 그곳에서 화려하게 돈을 뿌리는 내 모습을 그려 본다. 가슴이 설렌다. 뭐든 할 수 있을 것 같은 대담한 기운이 불끈불끈 솟기 시작한다.

나는 마음을 독하게 먹고 문을 열었다. 교실을 연상케 하는 30평 정도의 공간이 펼쳐져 있었다. 판자를 붙인 바닥에는 흰 캔버스를 올린 이젤이 줄지어 있었다. 그 앞에 앉아 대기 중이던 20명 남짓 되는 학생들의 시선이 일제히 내게로 집중되었다. 나는 피가 거꾸로 치솟는 것을 느끼며 교실 옆에 있는 작은 대기실로 허둥지둥 들어갔다.

아무도 없는 빈방에 나는 멍하니 서 있었다. 그리고 잠시 후 머릿속의 온갖 생각들을 외면한 채 '무념무상'의 상태가 되어 옷을 벗기 시작했다. 알몸뚱이가 되는 건 금방이었다. 사무실에서 일러준 대로 속옷을 느슨하게 입은 덕분에 몸에 속옷 자국은 나 있지 않았다. 나는 벌거벗은 채 문틈으로 교실을 엿보았다.

성별도 연령도 제각각인 학생들이 조용히 대기하고 있었다. 하나같이 진지한 얼굴이었고, 히죽대거나 장난기를 가진 사람은 한 명도 없었다. 내가 수줍어하면 오히려 그들에게 실례가 될 것 같은 진지한 분위기였다. 그 순간, 내가 쭈뼛쭈뼛하게 굴수록 나도 학생들도 민망해질 뿐이라는 생각이 스쳤다. 다이빙 선수가 겁을 먹으면 공포에 지배당해 절대로 뛰어내릴 수 없듯이, 이런 일은 순간적인 담력을 필요로 한다. 나는 심호흡을 하고 문을 열었다. 그리고 오직 나만을 위해 준비한 목욕탕으로 들어가듯이 사뿐사뿐 걸었다.

"잘 부탁합니다."

학생들 앞에서 꾸벅 인사를 한 뒤, 흰 천이 걸린 높은 단 위에 가서 앉았다. 그러고는 '이런 일, 아주 익숙해요'라는 듯 새침한 표정으로 두 손을 머리 뒤에 대고 허리를 꼬아 등줄기를 휘게끔 동작을 취했다.

'나한테 이런 배짱이 있었나?'

솔직히 나 스스로도 놀라웠다.

적막한 공간 속에 멈춘 듯 포즈를 취한 상태에서 나는 사각사각, 학생들의 연필 소리를 들으며 이런 생각을 했다.

'절박함, 인생의 막판에 이르면 정말 생각지도 못한 힘이 솟는 거구나.'

울퉁불퉁 지방 덩어리인 뱃살, 고스란히 드러난 치부…… 하지만 그런 나를 어느 누구도 비웃거나 조롱하지 않았다. 나체의 여성이 그곳에 있는 게 당연하다는 듯 모두들 캔버스에 머리를 박고 데생에 여념이 없다.

두려움이란 건 어쩌면 투명한 막에 가려진 일상인지도 모른다. 그 투명 막을 뚫고 들어가기 전까지는 미치도록 무섭지만, 정작 그 안으로 들어가면 여전히 아무렇지도 않은 또 하나의 평범한 세계가 펼쳐져 있기 때문이다. 불과 15분 전만 해도 내가 사람들 앞에서 옷을 벗는다는 건 공포 그 자체였다. 하지만 지금은 내가 생각해도 놀라우리만치 급속도로 익숙해져 가고 있다.

'하긴, 미술 교과서에서 봤던 서양 누드화 주인공들도 다들 나처럼 풍만했었지.'

사실 '풍만'과 '펑퍼짐'은 엄연한 차이가 있지만, 그 정도로 나는 뻔뻔스러워지고 있었다. 다시 몇 분이 흐르자 긴장이 풀리면서 '좋아, 나체에 익숙해지기만 하면 게임 오버다!' 하는 여유마저 생겨났다.

하지만 나는 아직 누드모델의 진짜 고충을 모르고 있었다. 시간을 확인하려고 시계를 봤더니 겨우 10분이 지났을 뿐이었다. 어라, 벌써부터 몸의 곳곳이 점점 굳어지기 시작한다. 들어 올린 팔과 휘어진 등이 뻐근하게 아파 온다. 평소에 단련이 안 된 데다가 기초 체력마저 형편없다 보니 점점 고통이 심해졌다.

나는 같은 포즈를 계속 취하는 일이 얼마나 힘든 건지 비로소 깨달았다. 땀이 솟아나기 시작한다. 어깨라도 살짝 비틀고 싶지만, 모델은 한번 포즈를 정하면 절대로 바꿔서는 안 된다. 나는 눈싸움을 하듯 시계를 보며, 휴식시간까지 앞으로 몇 초인지 카운트다운을 하기 시작했다.

'애초에 이렇게 어려운 포즈를 취하는 게 아닌데…….'

후회해 봤자 이미 엎질러진 물이다.

드디어 15분이 지나고 휴식 신호가 울렸다. 나는 곧바로 손을 내리고 편안한 자세를 취했다. 물에 푹 잠겨 있다가 겨우 숨을 쉴 수 있게 된 느낌이었다. 팔과 등이 욱신거려 참을 수가 없었다.

'이번엔 좀 더 쉬운 포즈를 취해야지.'

하지만 어떤 포즈든 15분 동안 같은 자세를 유지하기란 너무 괴로운 일이다. 휴식 시간이 끝나고 다시 포즈를 취했을 때도 여전히 몸이 부들부들 떨려 왔다. 하지만 아마추어 티가 날까 봐

애써 냉정을 유지했다. 그렇게 땀을 뻘뻘 흘리는 동안 고행 같았던 두 시간이 모두 끝났다. 대기실로 돌아와 옷을 입을 때까지 내 몸은 와들와들 떨리고 있었다. 팔이 뒤로 돌아가지 않아 속옷 후크를 잠글 수 없을 정도였다.

'세상에 만만한 일은 없구나.'

D-5개월

나는 스스로 목숨을 끊고 싶을 만큼 삶에 대한 의욕이 없었다. 그러다 라스베이거스라는 시한부 목표가 생겼고, 오로지 그 목표만을 향해 전력질주하고 있다. 그렇게 6개월이 지나는 동안 조금씩 변화가 생겼다. 모두가 스스로 정해 버린 시한부 목표가 있었기에 가능한 것들이었다.

변하고 싶다면
거울부터 보라

나는 누드모델 아르바이트가 한 번으로 끝날 줄 알았다. 나 같은 사람을 처음이야 몰라서 썼겠지만, 이제 다시 부를 일은 절대 없을 거라 생각했다. 그런데 신기하게도 계속 모델 의뢰가 들어왔다. 통통한 모델이 의외로 인기 있다더니 정말 메구미 말이 맞다. 주말마다 규칙적으로 일이 잡혔고 때론 하루에만 서너 군데의 아틀리에를 거치기도 했다. 이렇게 잘나가는 모델이 되리라고는 정말 꿈에도 몰랐다. 몸은 고되지만 그래도 수입을 늘릴 수 있어 기뻤다.

누드모델을 시작한 지 한 달이 되어 가던 어느 날, 사무실에서 알게 된 한 선배 모델과 이야기를 나누다가 어떤 중년 모델에 대한 이야기를 들었다.

"40대 후반의 주부인데 카리스마가 굉장하대."

벗는 순간 베테랑 화가조차 포로가 된다는 전설의 누드모델이
란다. 과연 어느 정도이기에 '전설'이라고까지 불리는지 정말 궁
금했다. 육체의 미가 절정을 이루는 20대 초반을 지나 40대 후
반이라는 나이에 어떤 아름다움을 유지하고 있을까? 정말 만나
보고 싶었다.

나는 결국 사무실에다가 '모델 일을 더 잘하기 위해' 그분을 뵙
고 싶다고 간청했다. 그리하여 어느 토요일 오후, 그 전설적인
인물을 볼 수 있게 되었다.

나는 데생 교실에서 설레는 마음으로 그녀를 기다렸다. 잠시
후 문이 열리고 그녀가 들어섰다. '잘 부탁합니다!' 하며 쾌활하
게 인사를 하는 순간, 나는 고개를 갸우뚱할 수밖에 없었다.

'저 사람이 전설의 모델?'

나이보다 젊고 아름다운 사람일 거라 생각했건만, 그녀는 그
저 어디서나 만날 법한 평범한 주부에 불과해 보였다. 특별히 얼
굴이 예쁜 것도 아니고(내가 이런 말을 할 주제는 아니지만), 스타일
도 평범한 데다 눈에 띄게 섹시하지도 않았다.

그녀는 허리끈을 꽉 조여 맨 얇은 가운을 걸친 채 정해진 위치
로 걸어가 물이 든 페트병과 타월을 내려놓았다. 그것도 참 이상

했다. 나는 항상 바로 벗을 수 있는 목욕 가운 같은 것을 걸치고 있다가, 일이 시작되기 직전 대기실에서 미리 가운을 벗고 등장한다. 나뿐만 아니라 대부분의 모델이 그렇게 하고, 사무실에서도 그렇게 가르친다. 전라로 포즈를 취하는 데에는 거부감이 없다손 쳐도, 남들 앞에서 옷을 벗는 과정까지 보인다는 건 아무래도 수치심이 따르기 때문이다. 하지만 그녀는 시간이 되자 허리끈을 풀고 그 자리에서 바로 전라가 되었다. 그리고 너무도 자연스럽게 그 장소에 녹아들었다. 나는 순식간에 교실의 분위기가 싹 달라졌다는 것을 느낄 수 있었다.

'아우라'라는 말은 이럴 때 쓰는 것일까? 몸이야 당연히 모델답게 관리되어 있다 해도 팽팽한 20대의 몸과 비교하면 역시 40대의 완만함이 눈에 띈다. 하지만 그것마저 좋았다. 그리는 사람의 감성에 따라 어떤 표현이라도 가능하게 만드는 폭넓은 관용 같은 것이 느껴지는 몸, 그런 포즈였기 때문이다. '나를 보라!'고 강하게 주장하기보다는 '나는 하나의 피사체이며 당신이 표현할 예술적 소재다!'라는 듯 통달한 모습, 그리하여 그리는 사람으로 하여금 '이 진귀한 재료를 어떻게 요리할까?' 하는 강한 동기를 불러일으키는 달인의 모습이었다.

실제로 학생들이 그린 작품을 보면 소녀에서 노파까지 아주 다양하게 표현되고 있었다. 그리는 사람이 어떤 느낌으로 무엇을 표현했건 그녀 자체와는 차이가 있었지만, 각각의 작품들을 만들어 내는 소재는 오로지 그녀가 아니면 안 되는 것이었다.

아름다운 곡선을 이루는 그녀의 자세는 굉장한 고난이도였다. 나중에 집에서 흉내를 내보기도 했지만, 겉보기에 아름다운 것과는 정반대로 근육의 모든 부분을 사용하는 가혹한 포즈였다. 더구나 그날은 장시간 똑같은 자세를 취해야 하는 고정 포즈였다. 하지만 그녀는 휴식 후에도 전과 다름없는 포즈로 되돌아왔다.

마침내 데생 시간이 모두 끝나자 그녀는 "고맙습니다!" 하며 들어올 때와 마찬가지로 쾌활하게 미소를 지었다. 학생들도 자연스럽게 웃으며 답례했다. 그녀의 발랄한 에너지가 주위로 전파되는 듯했다. 나는 그 행동에 매료되었다.

한 사람의 모델과 수십 명의 학생들이 예술적으로 깊이 동화된 상태에서 신명나는 퍼포먼스를 한 판 끝낸 것이다. 그리고 그 주인공은 바로 모델이었다. 불혹을 넘긴 나이에도 저토록 멋진 여성이 될 수 있다는 사실이 놀랍기만 했다.

마치 한 편의 공연을 감상한 기분으로 건물을 나오다가 다시 그녀를 보게 되었다. 교실에서 엄청난 아우라를 뿜어내던 그 모델은 온데간데없고, 그녀는 다시 40대 후반의 주부로 돌아와 있었다. 그녀는 학생들이 다 떠나고 조용해지자 혼자 벤치에 앉더니 먼 곳을 응시하다가 살며시 눈을 감았다. 잠시 쉬는 걸까, 아니면 명상에 잠긴 걸까?

나는 그녀에게서 오랫동안 시선을 뗄 수가 없었다. 그녀가 벤치에 앉는 순간부터 풍경이 완성된 느낌이었다. 저런 멋은 어디에서 나오는 걸까? 아마 40대 후반에 이르는 시간이 있어야만 가능하겠지.

* * *

그 40대 모델을 본 뒤로 나는 거울 앞에 서는 시간이 많아졌다. 모델 아르바이트를 계속할 생각은 없었지만, 그래도 하는 동안에는 조금이라도 나아지고 싶다는 생각이 들었기 때문이다. 나는 서거나 앉거나 누워서 다양한 포즈를 취해 보기도 하고, 장시간 멈춰 있어도 몸에 부담을 주지 않는 생생하고 아름다운 포즈를 연구하기도 했다. 그러면서 나 자신을 보는 시간이 점점 많아졌다.

아름답건 어떻건 사람이 자기 몸을 자주 본다는 건 좋은 일인 것 같다. 자주 보면 볼수록 정이 들기 때문이다. 살찐 몸이 보기 싫은 건 주인이 그 몸을 싫어하기 때문이다. 자기가 자기 몸을 싫어하는데 누군들 좋아해 줄까. 하지만 '통통하긴 해도 그런대로 봐줄 만한 걸?' 하는 마음으로 자기 몸을 대하면 변화가 생긴다. 아닌 게 아니라 거울 앞에서 내 몸을 자주 들여다볼수록 마담이나 동료들한테서 '요즘 보기 좋네? 몸에 신경 좀 쓰나 봐?' 하는 소릴 심심찮게 듣게 되었다.

나는 모델이 되어 포즈를 취하고 있는 동안 하얀 캔버스 위에 다양하게 그려지는 내 몸을 상상하곤 했다. 실제로 학생들에게 그림을 보여 달라고 부탁하기도 했다.

하나같이 뛰어난 작품들이었다. 그런데 신기한 건 어느 것 하나 똑같은 모습이 없다는 점이었다. 나는 내가 그토록 다양하게 표현될 수 있다는 사실에 놀랐다. 마리아 상처럼 온화한 표정의 나, 험악한 표정의 나, 삶의 고단함이 묻어나는 우울한 나, 뭔가를 간절하게 원하는 나…….

'같은 시간, 같은 포즈, 같은 표정의 나를 보고 있는데 그리는 사람에 따라 이렇게 달라질 수 있구나.'

내가 알고 있는 나는 하나뿐이지만, 남들이 보는 나는 천차만별이었다. 사실 그림 속의 나는 '나'이면서 또한 내가 아니었다. 내가 느끼는 나와 남이 느끼는 내가 같지 않기 때문이다.

나는 늘 내가 알고 있는 느낌과 나의 기준대로 이해받길 원했다. 그러다 보니 자연히 '왜 아무도 날 이해해 주지 않을까?' 하고 의기소침해질 때가 많았다. 하지만 그들의 작품을 보면서 생각과 느낌은 십인십색, 사람의 숫자만큼 다르다는 것을 알았다.

그러니 나와 똑같은 느낌을 요구하거나 이해해 달라는 것은 무리이고 어리광이며, 오만일지도 모른다.

사람은 진정한 의미에서 타인을 완전히 이해할 수는 없다. 다만 나에 대한 남들의 느낌을 긍정적으로, 혹은 부정적으로 바꿀 수 있을 뿐이다. 매일매일 거울 앞에서 나 스스로를 애정 어린 눈으로 바라보는 것만으로도 클럽 사와의 마담과 동료들로부터 긍정적인 반응을 끌어낸 것처럼.

그 뒤로 나는 데생 시간이 끝나고 나면 학생들의 그림을 꼬박꼬박 감상하는 습관이 생겼다. 현재의 나를 반영한 그림들을 통해서 역으로 나를 보는 것이다. 우울하고 음침한 모습보다 밝고 아름다운 모습이 많이 그려진 날은 은근히 기분이 좋아지곤 한다. 재미있는 것은 거울 앞에서 내가 만족스러운 기분을 많이 느낄수록 그림 역시 밝은 분위기가 더 많다는 사실이다.

D-8개월. 시간은 계속 전진하고 있었다.

뜻밖의 변화를 불러오는
데드라인

D-7개월.

계절은 어느새 겨울의 문턱으로 접어들고 있다. 낮에는 파견 사원, 밤에는 호스티스로 일하고 집에 돌아오면 새벽 1시, 그리고 주말 내내 누드모델로 아틀리에를 순회하느라 계절이 가는 것조차 느낄 겨를이 없었다.

단 하루의 휴일도 없이 평균 4시간의 수면으로 악전고투하고 있다. 하릴없이 어영부영 보냈던 지난날들이 꿈처럼 아득하기만 하다. 끈기도 없고 체력도 평균 이하였던 내가 이렇게 악바리처럼 버텨내고 있다는 게 믿어지지 않았다.

그저 바쁘기만 한 생활이었다면 일찌감치 나가떨어졌을지도 모른다. 하지만 내겐 너무도 선명하고 절대적인 목표가 있었다. 그 목표를 향해 전속력으로 질주하면 할수록 아드레날린이 분비되어 힘이 솟았다. 더 좋은 것은 이렇게 바쁘게 지내다 보면 고독이니 뭐니 하는 나약한 감상에 빠져들 겨를이 없다는 것이다. 게다가 나는 일 이외에도 개인적으로 해야 할 일이 많았다.

먼저 라스베이거스와 갬블에 대해 철저히 조사해야만 했다. 라스베이거스와 관련된 책이나 카지노에 관한 책은 닥치는 대로 읽고, 틈만 나면 저렴한 넷카페에 가서 최신 정보를 조사했다. 라스베이거스 여행을 위해 영어 회화도 시작했고, 트럼프를 갖고 다니며 카지노 게임을 연습하느라 날밤을 새기도 했다. 주중에 한 번 있는 호스티스 휴일은 물론 출퇴근 시간 등 자투리 시간도 최대한 이용했다.

조금이라도 돈을 아끼려고 도서관을 찾아가 여행 회화 책을 빌려 보거나, 듣기용 CD와 비디오 등을 활용하기도 했다. 평일에는 퇴근 후 회사에서 가장 가까운 도서관으로 달려갔고, 주말이나 휴일에 누드모델 일이 일찍 끝나면 집 근처 도서관으로 직행했다. 또 자격증이 있으면 시급이 올라간다는 말에 파견처에서 추천하는 간단한 자격증 시험까지 준비했다. 라스베이거스행 자금을 가능한 한 더 많이 모으고 싶었기 때문이다.

이런 혹독한 일정으로 인해 당연히 몸이 상했지만, 결근은 물론 지각조차 한 번도 하지 않았다. 몸살을 앓더라도 회사 휴게실에서, 클럽 대기실에서 혼자 몰래 앓았다. 내가 그렇게까지 독해질 수 있었던 것은 밤과 낮을 구분하는 경계선을 철저히 지켜 내고 싶었기 때문이다.

평범한 회사원으로 일하는 낮의 세계, 그리고 화려한 호스티스로 살아가는 밤의 세계, 나는 비록 이 두 개의 세계를 넘나들고 있지만 어느 한쪽이라도 다른 쪽 업무로 인해 침해받게 하고 싶지 않았다. 밤의 세계로 인한 피로가 낮의 세계를 망쳐서도 안되고, 낮의 세계로 인한 시간 부족이 밤의 세계에 영향을 끼쳐도 곤란하다.

특히 밤의 세계는 너무나 매력적이고 개성이 강해 인생의 모든 것을 빨아들일 것 같은 마력이 있었다. 실제로 투잡을 병행하다가 밤일 때문에 낮일을 완전히 저버리게 되는 호스티스들도 많았다. 그건 마치 '아직은 괜찮아, 괜찮아' 하며 노를 저어가다가 어느 한 순간 망망대해에 휩쓸려 두 번 다시 뭍으로 돌아올 수 없게 되어 버리는 조각배와도 같았다. 나는 그것을 피하고 싶었다.

남다른 미모도 재능도 없는 내가 앞으로 계속 밤의 세계에서 버틸 수 없다는 것은 잘 알고 있다. 어디까지나 호스티스 일은 1년 동안만 하는 시한부 아르바이트다. 그렇기 때문에 어떤 경우라도 낮일을 완벽하게 처리하는 것이 내가 밤의 세계로 말려들지 않게 하는 버팀목이라고 생각했다. 그 결과 나는 마치 지킬박사와 하이드처럼 낮과 밤이 완전히 다른 사람으로 변해 갔다.

밤이 되어 긴자의 네온사인이 불을 밝히면 한껏 멋을 부리지만, 회사에서는 주위의 시선 따윈 전혀 의식하지 않는다. 늘 잠이 부족하기 때문에 화장할 시간이 있으면 잠을 잤고, 막 깨어나 퉁퉁 부은 눈에는 렌즈도 들어가지 않아 민낯에 안경을 쓰고 부스스한 머리를 질끈 동여맨 채 출근하기도 했다. 하기야 내 업무란 게 종일 책상에서 데이터를 입력하는 일이라 애초에 멋 부릴 필요도 없었다.

점심시간에는 부리나케 밥을 먹고 동료들과 차 한 잔 마실 틈도 없이 여직원 휴게실에서 토막잠을 잤다. 이마에 눌린 자국이 선명하게 찍힌 내 얼굴을 보고 사람들은 흠칫했지만, 나는 아랑곳하지 않고 자리로 돌아와 묵묵히 일을 처리했다.

데이터를 입력하는 건 한눈만 팔지 않으면 정시에 끝나는 일이지만 월말에는 아주 바빴다. 입력하는 양도 평소의 배가 되기 때문에 나의 전임자는 항상 2시간 정도 야근을 했다고 한다. 하지만 나는 클럽에 지각할 수 없기 때문에 무슨 수를 써서라도 시간 내에 그 일을 마쳐야만 했다. 그럴 때면 이마에 자국이 찍힌 채 평소보다 맹렬한 기세로 홀린 듯 키보드를 두드린다. 그런 내 모습은 내가 봐도 섬뜩할 정도였다. 하지만 겉모습 따윈 아무래도 상관없다. 어쨌든 일을 빨리 마치고 싶다는 일념으로 나는 엄청난 속도로 일을 처리했다. 주위에서 말도 못 붙일 만큼 집중했기에 실수도 거의 없었다.

회사 사람들은 내가 야근을 한사코 용납하지 않는 속사정을 알 리가 없기에 나를 '아주 개성적(?)이지만 일은 똑 부러지게 하는' 파견사원으로 평가하고 있었다.

* * *

D-6개월.

어느덧 반 년이 훌쩍 지난 어느 날, 마담이 나를 보더니 깜빡 잊고 있었다는 듯 말했다.

"세상에, 아마리. 언제 이렇게 예뻐졌어?"

"에이, 농담하지 마세요."

"농담 아니야. 거울 좀 봐."

마담은 내 손을 잡아끌더니 전신 거울 앞에 세웠다.

"자, 봐! 정말 날씬하고 예쁘잖아!"

거울에 비친 내 모습은 확실히 몇 달 전과는 달라져 있었다. 하긴 매일매일 그렇게 지독한 강행군을 하는데 살이 안 빠질 수야 없겠지. 그건 나 자신도 느끼고 있었다. 옷 사이즈가 XL에서 M으로 두 사이즈나 줄었던 것이다. 몸무게도 20킬로그램이나 줄어 있었다. 아직 날씬한 정도는 아니지만 53킬로그램이면 그런대로 봐줄 만하지 않은가.

마담은 처음에 했던 약속을 잊지 않고 있었다.

"좋았어, 이제 일급을 1만 엔으로 올려 줄게. 잘했어!"

"감사합니다, 감사합니다!"

나는 뛸 듯이 기뻤다. 이제 한 달에 16만 엔 정도의 급여를 받을 수 있다. 라스베이거스로 성큼 더 다가간 느낌이었다.

살이 빠지면서 뜻하지 않던 일들이 뒤따랐다. 손님의 유혹이 눈에 띄게 늘기 시작한 것이다. 호스티스는 자신의 손님과 개점 전에 만나 식사를 하고 가게로 동행하는 '동반'이나, 폐점 후 함께 다른 클럽에 놀러가거나 하는 '애프터' 등의 데이트가 많다. 하지만 평일에 파견사원으로 일하는 처지로선 불가능한 일이다. 그렇다고 클럽 사와에 할당량이 있어 급여에 반영되는 것도 아니다. 그러니 필사적으로 돈을 모아야 하는 나에겐 전부 시간 낭비였다. 그래서 고맙기는 하지만 이런저런 이유를 대가며 손님의 요청을 간곡히 거절했다.

늘 잠이 모자라 낮에도 조각 잠을 자곤 했지만, 1년이라는 여명의 절반을 지나면서부터 새벽에 잠 못 드는 일이 많아졌다. 알수 없는 불안 때문에 가슴이 막막해질 때마다 나는 창문을 열어놓고 멍하니 하늘만 바라봤다.

나는 스스로 목숨을 끊고 싶을 만큼 삶에 대한 의욕이 없었다. 그러다 라스베이거스라는 시한부 목표가 생겼고, 오로지 그 목표만을 향해 전력질주하고 있다. 그렇게 6개월이 지나는 동안 조금씩 변화가 생겼다. 살이 빠지고 '예쁘다'라는 소리도 듣게 되었으며, 일과 돈에 대한 집착과 더불어 가까운 동료들까지 생겼다. 모두가 스스로 정해 버린 시한부 목표가 있었기에 가능한 것들이었다.

나는 새삼 '데드라인'의 가공할 만한 위력에 놀랐다. 하지만 또 그만큼 불안했다. 만일 그 목표가 사라지거나 6개월 뒤 기한이 만료된 이후에도 그것들을 계속 유지할 수 있을까? 자신이 없었다. 라스베이거스 이후의 삶을 아무리 생각해 보려 해도 극지방의 화이트아웃처럼 온통 하얗기만 했다.

나는 여전히 불안했고, '행복'이라는 느낌 역시 나와는 멀리 동떨어져 있는 것 같았다. 그런 생각이 들 때마다 나는 더욱 병적으로 라스베이거스에 매달렸다. 지출을 줄이고 돈을 더 모을 수 있는 방법을 연구하거나 카드를 펼쳐 놓고 블랙잭을 공부했다. 그러다 날이 밝으면 곧장 회사로 달려갔다.

자기 시선으로
살아간다는 것의 즐거움

"걔 말이야. 글쎄 남자 빚 때문에 결국 욕탕으로 간 것 같아."

레이나가 말했다. 동료들은 귀가 솔깃해져서 '정말, 정말?', '어머, 어떡하지?' 하며 호들갑을 떨었다. 하지만 나는 그 말이 무슨 뜻인지 통 알 수가 없었다.

"욕탕은 왜요? 아! 집세 아끼려고 사우나에서 자나 봐요?"

그러자 레이나는 길게 한숨을 내쉬었다.

"정말 모르는 거야, 아니면 내숭 떠는 거야?"

나는 그저 눈만 끔뻑거렸다.

"이 바닥에서 욕탕이란 건 그거야, 그거. 그래도 모르겠어?"

나는 그제야 욕탕이 '사창가'를 칭하는 말이란 걸 알았다.

클럽이란 호스티스와 손님이 서로 밀고 당기기를 즐긴다는 점에서 어디까지나 유사 연애의 장이다. 반드시 그 장소에 한해서만 '신사 숙녀'로 연애를 즐기는 것이다. 더 이상 깊이 들어가는 것은 금기다. 물론 클럽 사와도 그랬다. 하지만 알 수 없는 게 남녀 사이라 자기도 모르게 친밀한 관계가 만들어지기도 한다.

실제로 손님의 연인이 되어 버린 호스티스도 꽤 있다. 클럽 사와는 가족적이면서도 아늑한 분위기를 자랑하지만, 예전에는 조폭이나 건달 같은 남자와 엮여 돌연 가게에서 자취를 감춘 이들도 있었다고 한다.

나는 고개를 절레절레 흔들었다. 남자라면 질색이다. 스물다섯 살 때 겪었던 그 비참했던 연애의 말로를 더 이상 되풀이하고 싶지 않았다.

'조심하자. 더 이상 남자 때문에 인생이 꼬이고 싶진 않아.'

그런 어느 날, 클럽 사와에 한 남자가 나타났다. 내 심장은 반사적으로 격하게 요동쳤다.

'혹시나 했는데 역시나…… 이런 일이 벌어지고 마는구나.'

그는 바로 내가 파견사원으로 근무하고 있는 회사의 사장이었다. 이런 기막힌 우연이 또 있을까.

물론 그런 생각을 전혀 안 해본 건 아니었다. '혹시라도 회사 사람들이 클럽을 찾는 일은 없을까? 그러다 나를 알아보게 되는 일은 없을까?' 하는 상상을 왜 안 해봤겠는가? 그런데 눈앞에 사장이 떡하니 나타난 것이다.

40대 초반인 K사장은 회사에서도 늘 여직원들에게 선망의 대상이었다. 이른 나이에 혼자 힘으로 회사를 세워 성공적으로 경영해 나가고 있을 뿐만 아니라, 연예인 뺨칠 정도의 핸섬한 외모를 지녔기 때문이다. 게다가 학식은 물론 유머와 품위까지 갖췄으니 더할 나위가 없지 않은가? 나는 가끔 '저렇게 우월한 유전자를 타고난 사람도 있구나' 하며 그저 먼발치에서 외계인 보듯 바라볼 뿐이었다.

바로 그가 클럽 사와에 나타난 것이다.

"아마리, 저기 저분 쪽에 보조로 붙어."

마담의 말에 가슴이 철렁했다. 나는 가슴 졸이며 K사장 옆자리에 가서 앉았다. 하지만 행여 눈치 채지나 않을까 하는 내 생각은 순전히 기우에 불과했다. 나는 새도 떨어뜨릴 기세로 급성장하는 기업의 우두머리가 변변찮은 파견사원의 얼굴까지 일일이 기억하고 있을 리가 없었다. 만에 하나 내 얼굴을 기억한다고 한들, 부스스한 머리에 민낯인 사원과 화려한 긴자의 호스티스를 연결시키기란 쉽지 않을 것이다.

역시나 K사장은 나를 전혀 알아보지 못했다. 나는 속으로 휴우, 하고 마음을 놓았다. 그런데 이 씁쓸한 기분은 뭐지?

내 속에서 어떤 생각들이 소용돌이치고 있는지 죽었다 깨어도 알 리가 없는 K사장은, 그저 장난꾸러기 소년처럼 조크를 던지며 호스티스들을 즐겁게 하고 있었다. 단번에 좌중의 시선을 끌어오는 남자, 어느 틈엔가 더 알고 싶고 더 이야기하고 싶게 만드는, 그래서 호스티스마저 사로잡아 버리는 타입의 남자……

K사장은 능력 있을 뿐만 아니라, 사적으로도 그만큼 매력적인 남자였다. 그런 K사장의 특별한 일면을 접한다는 사실에 나는 묘한 우월감마저 느꼈다.

* * *

즐겁던 시간은 금세 지나고 어느새 폐점 시간이 다가왔다. 모두들 이대로 헤어지기가 섭섭하다는 눈치였다. 그때 K사장이 내게 속삭였다.

"애프터 신청해도 될까?"

심장이 쿵쾅거렸다.

'혹시 내가 맘에 들었다는 건가? 아냐, 그냥 내가 옆에 앉아 있으니까 별 생각 없이 해본 말일 거야.'

오버하지 말자. 착각해서 상처 받는 쪽은 나다.

"죄송해요. 내일 일찍 나가 봐야 해서······."

"내일? 낮에도 일하나? 대단한데."

나는 속으로 '그래요, 당신 회사에서 일한단 말이에요' 하고 중얼거렸다. 그런데 K사장은 난처하게도, 아니 고맙게도 그냥 물러서지 않았다.

"그래, 그렇다면 별 수 없군. 사실은 말이야, 아마리가 워낙 잘 들어 줘서 좀 더 얘기를 나눴으면 했거든. 내가 생각해도 이런 말 꺼낸 게 신기하지만 역시 차였구먼."

그런 말까지 듣자 내 마음은 마구 흔들리기 시작했다.

"그럼, 올리비아······ 클럽 올리비아라면."

말을 내뱉고선 아차 싶었다. 클럽 올리비아라면 긴자에서도 최고급 클래스 아닌가. 저명인사들이 은밀히 이용한다는 소문에 호스티스들의 미모 또한 엄청나다고 들었다. 적어도 나 따윈 면접조차 안 받아줄 정도의 일류 클럽이라 은근히 동경하던 곳이었다. 기회가 된다면 그곳에 한 번쯤은 가보고 싶었던 차에 순간적으로 '올리비아'라는 말이 튀어나오고 만 것이다. K사장이 되물었다.

"올리비아?"

너무 뜻밖이었던 걸까, 아니면 놀란 걸까? 아니면······ 그저 기가 막혔던 걸까.

"죄송해요. 호스티스로서 다른 가게를 봐두는 것도 좋은 경험이 될 것 같아 저도 모르게 그만…… 신경 쓰지 마세요. 농담이에요."

나는 이 상황이 얼른 끝나기만을 바랐다. 하지만 K사장은 잠시 생각하더니 차분하게 말했다.

"전에 가끔 거래처 사람을 따라 가본 적이 있어. 어차피 내가 먼저 제안했으니까 어때, 올리비아에 한번 가볼까?"

그렇게 나의 첫 애프터 체험은 급작스럽게 진행되었다.

휘황찬란한 네온이 춤추는 긴자 거리는 매서운 겨울바람에도 불구하고 많은 사람들로 북적이고 있었다. 평소라면 전철역을 향해 날쌔게 달려가고 있을 테지만 오늘은 다른 목적지를 향해 걷고 있다. 그것도 '낮의 세계'에 속하는 회사의 사장과 함께.

클럽 올리비아는 클럽 샤와 같은 조촐한 곳과는 비교가 안 될만큼 넓었다. 흰 색을 바탕으로 한 산뜻한 내부는 호화로우면서도 세련된 느낌이었고, 곳곳에 큰 화병이, 벽에는 회화가 장식되어 있었으며, 실내 전체에 그랜드피아노의 라이브 연주가 은은하게 흐르고 있었다. 마담이 3명, 상주하는 호스티스는 40명쯤 돼 보였다. 나처럼 어설픈 솜씨로 머리를 직접 손질한 호스티스 따윈 없었다. 함께 자리에 앉은 두 명의 호스티스는 나란 존재 때문에 난처한 기색이었다. 긴자 클럽에 여자 손님이 등장하는 일은 좀처럼 없기 때문이다.

"귀여운 아가씨군요."

호스티스는 K사장의 속을 떠보려 하지만 사장도 만만치 않다.

"그렇지? 아무리 유혹해도 좀처럼 넘어오질 않네."

호스티스들은 K사장과 이야기를 나누면서도 시종일관 힐끔거리며 나의 정체를 읽으려는 눈치였다. 나는 나대로 긴자 최고 클럽의 호스티스들이 어떤 식으로 대화를 하는지 귀를 열고 집중했다. 긴자의 일류 호스티스들은 경제신문이나 시사 잡지를 읽는다는 소문을 익히 들어왔던 터라 얼마나 고상한 대화를 나누게 될지 내심 기대했던 것이다.

하지만 별 소득은 없었다. 적어도 내가 받은 인상은 그저 '비싼 고급 클럽'일 뿐이었다. 계산할 때 슬쩍 엿보았더니 클럽 사와의 세 배 정도는 되는 듯했다. 물론 K사장에게는 대수롭지 않은 돈이겠지만 난 너무 아까웠다.

'이렇게 비싼 돈을 지불하지 않아도 클럽 사와에서는 손님을 훨씬 즐겁게 해줄 수 있는데……. 하기야 고급 브랜드라는 이유만으로도 손님을 끌 순 있겠지. 그런데 '고급'이란 대체 뭘까?'

그런 생각을 눈치 챘는지 그는 가게를 나오자마자 내게 물었다.

"어땠어? 그렇게 보고 싶다던 일류 클럽은?"

나는 솔직하게 대답했다.

"일류라는 포장에 너무 기대를 너무 많이 했나 봐요. 기대만큼은 아니었어요. 인테리어에 굉장히 많은 돈을 들인 것 같고 호스티스도 미인들이지만, 그것만으로 일류라고 하기에는……."

"동감이야."

K사장은 나를 향해 씩 웃더니 마치 오랜 친구에게 하듯 진지하게 얘기하기 시작했다.

"뭐든 그렇겠지만 일류니 고급이니 하는 말은 늘 조심해야 해. 본질을 꿰뚫기가 어려워지거든. 출세니 성공이니 하는 것보다 중요한 것은 자기만의 잣대를 갖는 거라고 생각해. 세상은 온통 허울 좋은 포장지로 덮여 있지만, 그 속을 들여다볼 수 있는 자기만의 눈과 잣대만 갖고 있다면, 그 사람은 타인의 평가로부터 자신을 해방시키고 비로소 '자기 인생'을 살 수 있을 거야. 그게 살아가는 즐거움 아닐까?"

K사장은 시계를 보더니 '어이쿠, 늦었네' 하면서 내게 집이 어느 방향이냐고 물었다. 태워 줄 기세였다.

"아주 가까워요. 혼자 갈 수 있어요. 오늘 정말 고마웠습니다."

K사장과 헤어져 집까지 오는 동안 나는 줄곧 그가 했던 말을 되뇌었다.

'자기만의 잣대…….'

아주 잠깐 동안이었지만, 라스베이거스에서 화려한 마지막을 장식하고 미련 없이 떠나려는 나의 계획이 처음으로 흔들리는 느낌이었다. 사장에게 나의 계획을 얘기하면 어떤 반응이 돌아올까? 그만, 그만! 나는 생각하지 않기로 했다. 무슨 일이 있어도 나의 계획은 확고부동하게 진행되어야 한다.

좁고 어둑어둑한 원룸으로 돌아와 옷을 갈아입고 누웠더니 새벽 3시였다. 몸은 축 늘어질 정도로 피곤했지만 잠은 쉽사리 오지 않았다.

'살아가는 즐거움이라⋯⋯.'

타인의 평가와 세간의 잣대와는 아무런 상관없는 자기만의 삶이란 과연 어떤 것일까?

* * *

그날 이후로 K사장은 클럽에 들를 때마다 내게 애프터를 신청했다.

"아마리, 오늘도 딱 한 잔만 말동무 해주면 안 될까?"

솔직히 나는 어안이 벙벙했다.

설마⋯⋯ 이 인기 많은 꽃중년이 나를 마음에 들어 한 걸까?

K사장은 나를 올리비아 클럽 같은 '공공장소'가 아닌 자기만의

단골 바로 데려갔다. 거긴 뭔가 비밀스럽고 특별한 사연을 가진 남녀의 밀회에나 어울릴 법한 곳이었다. 사장은 어딘지 베일에 가려 있는 듯한 나의 본모습을 알고 싶어 했다.

"낮엔 회사원이라고? 어느 회사에 다녀?"

그때마다 대충 얼버무리느라 여간 고생이 아니었다. 하지만 내가 피하면 피할수록 사장의 호기심만 자극하는 꼴이었다.

"아마리는 꼭 신데렐라 같아."

"예?"

"낮엔 어디서 뭘 하는지 전혀 모르겠거든."

나는 (마담이 가르쳐 준 대로) 손으로 입을 가리고 웃었다. 그렇다면 나를 공주로 변신시켜 준 마녀는 사와의 마담이겠지? 그리고 밤이 지나고 해가 뜨면 나를 치장해 준 온갖 의상과 화장은 다 사라지고 다시 '별 볼 일 없는' 파견사원으로 돌아가 있겠지?

사장과 이야기를 나누는 동안, 나는 그가 왜 나를 말벗으로 선택했는지 어렴풋이 짐작할 수 있었다. 어느 조직이나 그렇듯이 최고결정권자 위치에 있는 사람들은 의외로 고독한 경우가 많다. 하루에도 수십 명을 상대해야 하고, 늘 냉정한 판단과 단호한 결단을 요구하는 치열한 시간을 견뎌야 하는 것이 그들의 숙명이다. 그리고 회사의 운명을 결정지을 수도 있는 최종 결정은 늘 혼자 해내야 한다. 얼마나 고독한 일인가? 사장이 만나는 거

의 모든 사람들은 늘 무언가를 부탁하거나 의사를 묻는 등 일방
통행 같은 대화만을 하게 마련이다.

"그런데 아마리는 내게 한 번도 질문을 하지 않더군. 그냥 잠
자코 내 이야기를 듣기만 하지. 난 그게 참 편해."

그렇게 몇 번의 만남이 거듭되면서 나 역시 K사장에게 점점
끌리고 있다는 사실을 알았다. 회사에서는 눈길조차 받지 못할
만큼 먼 존재인 그에게서 나는 아무도 모르는 여리고 순진한 모
습을 보았다. 그리고 산전수전 다 겪어 온 사업가의 생생한 인생
론은 죽음까지 생각했던 나의 혼을 자극하기에 충분했다.

하지만 우리의 관계는 거기까지였을 뿐, 남녀의 애정관계로는
더 이상 발전하지 않았다. '딱 한 잔만'이라는 나의 조건을 존중
하려는 듯 K사장은 약속했던 그 한 잔이 비면 "조심해서 들어가"
하며 항상 택시비를 슬쩍 쥐어 주곤 했다.

혹시나 관계가 더 가까워질 만한 제안을 하면 어떡하나 하고
늘 조마조마했지만, 사람의 마음이란 게 참 이상해서 혼자 집으
로 돌아올 때면 약간 허전한 기분도 느껴졌다. 그래도 난 그 상
태가 좋았다. 아주 멀지도, 아주 가깝지도 않으면서 낮과 밤의
경계처럼 미묘한 거리를 유지하는 것이 내게도, 그에게도 가장
이상적이다.

스물다섯 살 때 남자친구와 헤어진 뒤로 쭉 여자인 것을 잊고

살았다. 살이 찌면서부터는 아예 여자로서도 끝났다는 생각을
했었다. 그래서 나를 배려하는 사람이 있다는 사실만으로도 가
슴이 벅찼다. 가끔은 '애인'이라는 말이 머릿속에 떠올랐다. 남자
한테 휘둘리는 인생은 딱 질색인데도 이따금 '그러면 뭐 어때!'라
는 생각을 하게 되는 나 자신이 두렵기도 했다.

길 위에 올라선 자는
계속 걸어야 한다

따지고 보면 K사장과 나의 관계는 정말 아무것도 아니다. 그 저 손님과 종업원의 관계가 조금 연장된 것에 불과했다. 혼자 설 레건 말건 그건 순전히 내 몫이며, 친구처럼 서로 말벗이 되어 주는 것만으로 충분했다. 하지만 이런 소박하고 점잖은 관계마 저도 결코 쉽지 않다는 것을 알게 되었다.

D-5개월.

여느 때처럼 K사장과 '딱 한 잔만' 함께 한 다음 날, 나는 늘 그 렇듯 푸석푸석한 민낯으로 출근했다. 그런데 분위기가 이상했 다. 여직원들이 나를 힐끗힐끗 쳐다보며 소곤대는 것이었다.

"에이, 설마 그럴 리가."

"그럼 본인한테 직접 물어볼까?"

아무리 모른 척해도 자꾸 귀가 근질근질했다. 불길한 예감과 동시에 섬뜩한 느낌이 몰려왔다. 예감은 적중했다. 화장실 앞 복도에서 나는 어느 여직원과 딱 마주쳤다.

"어제 긴자에 갔었죠?"

역시……. 나는 선 채로 얼어붙고 말았다. 하지만 마음의 동요를 억누르며 애써 시치미를 뗐다.

"거길 내가 왜 가요? 잘못 봤겠죠."

"사장이랑 같이 가지 않았어요? 코트도 똑같고, 분명히 봤는데……."

같은 여자지만 감각이 정말 예리하다. 머리를 세팅하고 짙은 화장을 하고 있어도 역시 날 알아본 것이다. 하지만 어떡하든 끝까지 시치미를 떼야 한다. 그녀의 기억을 가로막듯 나는 다급하게 말했다.

"흔한 옷이잖아요. 나도 똑같은 코트 입은 사람 많이 봤어요."

"…… 그런가? 그렇죠? 그럴 리가 없겠죠?"

그녀는 그제야 고개를 끄덕이며 "이상한 걸 물어서 미안해요" 하고는 자리로 되돌아갔다. 그녀 역시 반신반의한 게 틀림없다. 그도 그럴 것이 두꺼운 안경에 부스스한 머리, 게다가 거의 민낯으로 다니는 파견사원이 마치 동화 속 신데렐라처럼 밤에만 화려하게 꾸미고 다닌다는 걸 상상하기란 쉽지 않을 것이다. 게다가 모두가 흠모하는 꽃중년 사장과 단둘이 앉아 술을 마실 거라고는…….

아무튼 그녀의 의심은 풀렸지만 진짜 걱정은 그때부터였다.

'만약에 이 소문이 사장 귀에 들어간다면?'

오싹해졌다. 만일 소문이 K사장 귀에 들어가서 뒷조사라도 하게 된다면, 내가 긴자의 아마리라는 사실이 드러나는 건 시간문제일 것이다.

'그럼 분명히 해고당하겠지?'

물론 회사에서 파견사원의 겸업을 금하는 건 아니지만, 그래도 '호스티스'라는 이미지는 환영받을 일이 못 된다. 사장 역시 그런 소문에 휩싸이는 건 바라지 않을 게 틀림없다. 노골적으로 자르지는 않더라도 다음 계약을 갱신할 수 있다는 보장은 없다.

아니, 단지 그뿐만이 아니었다. 솔직히 말하면 나는 계속해서 사장의 '신데렐라'로 남고 싶었다. 하지만 나의 본모습을 안다면 분명 실망하겠지? 물론 퇴근 후 긴자에서 하고 있는 일에 대해 나는 떳떳하다. 그것은 나를 목표점까지 데려다 줄 신성한 직업이니까. 하지만 세상의 시선은 그렇지 않다. 아무리 부정해도 그건 엄연한 사실이지 않은가.

그날 하루, 내 머릿속은 엉킨 실타래처럼 복잡했다. 무거운 마음으로 퇴근한 뒤 다시 변신하여 긴자로 가는 동안, 나는 어느 정도 마음의 정리를 하고 있었다.

'그래, 분위기에 휩쓸려 너무 깊이 들어갔어.'

마음은 아프지만, 나는 앞으로 K사장의 애프터는 받아들이지 않는 것으로 결론을 내렸다. 그런 내막을 알 리가 없는 K사장은 여느 때처럼 나에게 애프터 신청을 해왔다. 나는 준비해 둔 핑계를 댔다.

"죄송해요. 오늘은 다른 애프터가 있어서……."

사실 다른 애프터가 없었던 건 아니지만, 이 말을 꺼내기가 얼마나 힘들었는지 모른다. 미련이 질긴 끈처럼 뒤통수를 계속 끌어당겼다. 더욱 가슴 아픈 건 K사장의 대답이었다.

"그래? 거 참 유감이네…… 뭐 어쩔 수 없지."

그것으로 끝이었다. 그는 약간 씁쓸한 표정을 짓더니 이내 호쾌하게 웃었다. 그 웃음이 내 가슴을 후벼 파는 것만 같았다.

* * *

K사장의 애프터를 매번 거절하다 보니, 이젠 다른 손님의 애프터를 적극적으로 받아들일 수밖에 없게 되었다. 가능한 한 '아

무 일도 안 생길' 할아버지뻘 되는 손님을 선택하거나, 젊은 남자 손님일 때는 다른 호스티스와 바꾸는 식이었다.

그때부터 참 많은 사람들을 알게 되었다. 하지만 교양과 유머, 재치 같은 면에서 그 누구도 K사장을 대신할 수는 없었다. 이후로 K사장의 발길은 점점 뜸해졌고, 오더라도 주로 다른 호스티스들과 자리를 가졌다. 나는 상실감과 그리움으로 인해 의지가 약해지는 것이 두려웠다. 그래서 더욱 다른 손님들과의 애프터에 좀 더 충실해지려고 애썼다.

클럽을 찾는 손님들은 주로 마담과 오랜 친분관계를 유지해온 사람들이었고, 대부분 자기 분야에서 나름 성공을 거둔 이들이었다.

"혹시 라스베이거스에 가보셨어요?"

가끔 이렇게 물어보면 그들은 흥에 들떠 카지노 이야기를 늘어놓곤 했다. 그들은 비단 라스베이거스뿐만이 아니라, 내가 꿈도 꿔보지 못한 수많은 경험들을 갖고 있었다. 지금껏 너무도 단조로운 생활에 새로운 경험도, 특별한 만남도 없었던 나는 메마른 스펀지처럼 모든 것을 흡수하고 싶어졌다. 그런 어느 날, 단골손님 한 분이 내게 흥미로운 제안을 해왔다.

"아마리, 경마 좋아하나? 한번 같이 가볼래? 마주석에 앉게 해줄게."

그는 꽤 큰 회사의 창업주인 L회장이었다. 물론 나는 경마를 좋아하기는커녕 관심조차 없었다. 경마라면 그저 붉은 펜을 귀에 꽂은 채 한 손에는 경마신문을 들고 고함을 지르는 아저씨들만 떠올랐다.

"여자도 갈 수 있어요?"

그러자 L회장은 껄껄 웃었다.

"물론이지, 요즘은 여성 관중도 아주 많아. 게다가 마주석은 아주 특별하지."

갑자기 호기심이 발동했다. 명사들의 사교장이라는 마주석은 대체 어떤 곳일까? 일반인이 마주석에 앉으려면 마주에게 초대받아 가는 방법 외에는 없다고 했다. 경마에는 관심이 없었지만 특별한 사람들만 누리는 그 세계만큼은 궁금했다.

'나의 호스티스 생활은 딱 1년이다. 가고 싶다면 기회는 지금밖에 없다.'

휴일에 손님과 만난다는 게 조금 걸리긴 했지만, 그날은 마침 누드모델 일도 없었다. 결국 나는 제안을 받아들였다. L회장은 아주 흡족한 표정을 지었다. 아마 나의 어설픔과 순진함이 신선하게 느껴졌던 모양이다.

잘나가는 호스티스들은 다양한 경험을 쌓았기 때문에 웬만한 일에는 놀라지도 않고 마음을 움직이지도 않는다. 그래서 세상

물정 모르는 나의 어수룩함이 L회장의 '가르쳐 주고 싶다'는 욕구를 자극한 것일지도 모른다. 게다가 회장이 말할 때마다 "네? 정말요? 대단하세요!" 하며 가식 없이 감탄사를 연발했던 것도 회장의 마음에 전해지지 않았을까.

아마 클럽 사와의 마담도 그랬을 것이다. 내가 뭐든지 곧이곧대로 흡수할 수밖에 없는 신출내기였기에 일일이 호스티스의 마음가짐과 교양 있는 태도를 가르쳐 주고 또 귀엽게 봐주었겠지.

나는 사람들한테는 '가르쳐 주고 싶은 욕구'가 있다는 사실을 알았고, 그래서 '무지'가 의외로 유리하게 작용한다는 것을 어렴풋이 깨달았다.

생전 처음 경마장에 가던 날.

며칠 동안 '투자' 차원에서 새 옷을 살까 말까 고민하던 차에 이때다 싶어 큰맘 먹고 하늘색 원피스를 샀다. 어차피 라스베이거스에 가서도 제대로 된 옷 한두 벌쯤은 필요할 테니까 과감히 질러 버린 것이다.

L회장을 따라 접수대를 지나 엘리베이터를 타고 올라가자 마주 전용 입구가 나왔다. 수화물 보관소에 짐을 맡긴 뒤 우리는 호텔 라운지 같은 공간에서 잠시 쉬었다. 마주 플로어에는 드레스코드가 있어 남성은 재킷을 걸치거나 슈트 차림인 사람이 많

았고, 여성 중에는 기모노나 드레스 등으로 한껏 치장한 사람들도 있었다.

"아마리, 직접 마권을 사보는 게 어때?"

L회장이 웃으며 어떤 마권을 사야 하는지 일러줬다. 나는 마권을 사들고 관람석으로 들어섰다. 커다란 유리로 격리되어 시끌벅적한 일반석과는 전혀 다른 고급스러움이 느껴지는 자리였다.

'굉장하다……'

영화관처럼 넓고 쾌적한 관람석에는 2인용 좌석이 줄지어 있었다. 그리고 좌석마다 작은 모니터가 달려 있어, 다른 경마장에서 치러지는 레이스나 예상 배당 등 여러 정보를 한눈에 확인할 수 있었다. 물론 나 같은 초짜야 다른 레이스까지 볼 수 있는 여유는 없었지만, 회장과 주위 사람들은 한꺼번에 모든 레이스를 보고 즐기는 것 같았다.

드디어 우리를 초대한 마주의 말이 출발선에 모습을 드러냈다. 눈으로 직접 경주마를 보는 순간 나는 눈을 뗄 수가 없었다. 팽팽한 근육질의 다리, 바람에 반짝이는 갈기, 아름다우면서도 긴장감이 가득한 눈동자…… 말이란 동물이 그렇게 아름다운 줄은 미처 몰랐다.

탕!

드디어 레이스가 시작됐다. 두두두, 말발굽 소리와 장내의 함성이 일제히 터져 나왔다. 말들이 앞서거니 뒤서거니 할 때마다 환호와 탄식이 교차했다. 말들이 결승점 앞의 직선 고개를 뛰어올라갈 때는 경마장 전체가 함성의 도가니로 변했다. 나도 관중들 틈에서 흥분에 들떠 정신없이 응원했다.

바로 그 순간 내 눈에는 아직 가보지 못한, 그러나 곧 가게 될라스베이거스의 풍경이 오버랩 되었다. 7개월 전 혼자 맞은 스물아홉 번째 생일날, 손목까지 가져갔던 칼을 다시 내려놓고 망연자실 바라보던 텔레비전 속의 라스베이거스 풍경⋯⋯. 그리고 1년 뒤 라스베이거스에서 인생의 최후를 맞이하기로 결심하던 그때의 그 흥분이 다시 떠오른 것이다. 그때 레이스가 끝났다.

안타깝게도 마주의 말은 패하고 말았다. 1번부터 3번까지 인기 있는 말이 전멸한 대 파란의 레이스였다. 하지만 결과가 나오자 L회장은 만세를 불렀다.

"이겼다! 아마리, 우리가 이겼어!"

이럴 수가! 회장이 일러준 것 말고 내가 감으로 적당히 샀던 마권이 적중한 것이다. 무려 100배 배당권이었다. 나는 어안이 벙벙했다. 단 1,000엔으로 구입한 마권이 순식간에 10만 엔으로 바뀐 것이다. 재미 삼아 나하고 똑같은 마권을 샀던 L회장은 '초보자의 행운'이라며 기뻐했다.

"아마리, 자네가 복덩이로군, 복덩이야!"

나는 또다시 라스베이거스를 생각했다.

그래, 이건 분명 라스베이거스에서의 예행연습이야. 앞으로 반년 뒤 실전에서는 과연 어떤 결과가 나올까?

그 후로도 L회장은 나를 '행운의 여신'이라 부르며 상류사회 사람들이나 드나드는 여러 장소를 구경시켜 주었다. 낮의 세계에서는 상상도 못 할 일들이 밤의 긴자에서는 현실이 된다. 하지만 밤늦게 돌아와 어두운 원룸에 불을 밝히면 '원래의 나'를 만나게 된다. 그리고 야무지게 마음먹은 나의 목표도 선명해진다.

'그래, 라스베이거스다. 지금 이 순간들은 단지 과정에 지나지 않아.'

밤의 호화로운 세계에 빠져 길을 잃어서는 안 된다. K사장과의 달콤한 애프터도, L회장이나 다른 손님들과의 특별한 '상류사회 체험'도 모두 샛길일 뿐이다. 여기에 머무는 순간 라스베이거스는 영원히 도달할 수 없는 곳이 되어 버릴 것이다.

길 위에 올라선 자는 계속 걸어야 할 것이다. 안주하는 순간 길을 잃을지도 모르니까.

D-1개월

나는 지금까지 서른을 코앞에 둔 대부분의 여자들은 결혼과 함께 안정된 생활만을 바라고 있을 거라 생각해 왔었다. 그래서 안정과는 도무지 거리가 먼 나 같은 사람은 세상에 뒤처져 있는 거라고 굳게 믿었다. 그런데 그렇지 않은 사람도 있었다. 세상이 뭐라 하건 자신의 길을 뚜벅뚜벅 나아가는 사람이 있는 것이다.

범선은 타륜과 돛으로 항해한다

D-4개월.

한 통의 엽서가 날아왔다. 고교 동창회 초대장이었다. 졸업하고 10년이 넘도록 매년 그랬듯이 나는 엽서를 테이블 위에 휙 내던졌다. 동창회 따위 참석한 적도, 그럴 마음도 없었다. 친한 친구도 없고 만나고 싶은 선생님도 없다. 고교시절의 추억…… 그런 게 있었나? 게다가 살이 찐 뒤로는 더욱 주눅이 들어 '대인기피증' 비슷한 지경까지 갔었다. 그러니 동창회가 다 뭔가.

그런데 엽서를 휴지통에 넣으려다가 나도 모르게 멈칫했다.

'이번에 안 나가면 앞으로 영원히 못 볼지도…….'

미련 따윈 남기고 싶지 않았다. 살아 있는 동안 그래도 한 번

정도는 참석해 보는 것도 나쁘지 않을 것 같았다. 어쩌면 그런 생각을 하게 된 데에는 '더 이상 뚱뚱하지 않다'는 자신감도 한몫했을 것이다.

동창회 날, 나는 라스베이거스에 갈 때 입으려고 사뒀던 새 옷을 꺼내 입고 모임 장소인 호텔로 향했다. 미리 만나기로 약속한 친구는 없었지만, 그래도 혹시 아는 얼굴이 있을까 하고 입구에서 잠시 두리번거렸다. 그때 낯익은 친구와 눈이 딱 마주쳤다.

"야, 정말 오랜만이야!"

3학년 때 같은 반 친구였다. 졸업하고 처음 만나는 건데도 예전 얼굴이 어렴풋이 기억났다.

"너 지금까지 한 번도 안 나왔었지? 어떻게 지내나 모두들 궁금해 했어."

나 말고는 다들 꼬박꼬박 참석하면서 지속적으로 교류를 해 온 모양이었다. 세상에는 나처럼 간단하게 연을 끊어 버리는 사람보다는 그것을 소중하게 이어가는 사람이 더 많은 것 같다. 또 그래야 세상이 굴러가겠지.

"얼른 들어가자 얘, 다들 반가워할 거야."

나는 친구에게 떠밀리듯 연회장으로 들어갔다. 꽤 많이 모여 있었다. 한 반에 약 40명 정도가 있었는데 대충 눈대중으로 봐도 30명은 족히 넘을 것 같았다. 나는 약간 떨어져서 그 얼굴들을 하나하나 바라봤다. 이름조차 생각나지 않는 친구들도 많았다. 모두가 십대 시절의 끄트머리를 함께 했던 학우들이지만, 지금은 누구에게서도 그때의 풋풋함은 찾을 수 없었다.

'가만, 내가 지금 뭘 하고 있지?'

매일 밤마다 화려하게 꾸민 긴자의 호스티스들만 봐온 탓에 나도 모르게 외모에 잔뜩 신경을 쓰고 있었다. 긴자의 호스티스들은 30대 후반, 40대 중후반이라도 이들보다 훨씬 예쁘고 상큼하다. 그건 어쩔 수 없는 사실이다. 연예인들처럼 사람의 눈을 즐겁게 해줘야 하는 직업 아닌가? 하지만 나야말로 몇 개월 전만 해도 이 자리에 모인 동창들 중 그 누구보다 뚱뚱하고 볼품없지 않았던가? 그리고 사람을 외모로 평가하는 세상의 잣대를 미치도록 원망하지 않았던가?

그때 한 무리의 친구들이 내 주변으로 몰려들었다.

"우와, 이게 누구야? 딴 사람인 줄 알았네. 어쩜 이렇게 예뻐졌어?"

예뻐졌다는 말을 싫어할 여자가 어디 있을까? 어쨌거나 기분은 좋다. 하지만 그 다음 질문에서 금방 기분을 잡치고 말았다.

"그런데 요즘 뭐 해?"

"응, 파견사원이야."

난 솔직하게 대답했다. 그리고 상대방의 얼굴에 '쯧쯧' 하는 표정이 스쳐 지나가는 것을 나는 놓치지 않았다.

"그렇구나, 요즘 파견사원들 많이 힘들다더라. 남편 회사에서도 많이 잘렸대."

비참했다.

동창회에 참석한 친구들은 거의 다 안정적으로 자리를 잡은 것처럼 보였다(물론 그래서 더욱 기를 쓰고 동창회에 나오는 거겠지만). 그들에게 파견사원이란 한마디로 '가여운 존재'였다. 삼삼오오 모여서 나누는 이야기의 화제는 주로 자녀 양육비, 학비, 주택 대출금 같은 것들이었다. 내가 끼어들 틈은 전혀 없었다. 물론 그들 중에는 나처럼 싱글도 더러 있었지만, 물어볼 것도 없이 대부분 유명한 기업의 정사원들이었다.

'역시, 괜히 왔나 봐.'

나는 힘없이 고개를 떨어뜨린 채 요리 테이블로 향했다. 허겁지겁 로스트비프와 전채 요리 몇 점을 접시에 담았다. 그러고는 야경이 내려다보이는 창가로 다가갔다. 거기엔 이미 누가 먼저 와 있었다. 캔 맥주를 손에 쥔 채 당당하게 서 있는 여성…… 누구더라?

그래, 생각난다. 미나코!

　　　　＊ ＊ ＊

　고교시절, 미나코는 무리에 휩쓸리지 않으면서 혼자 당당히 살아가는 타입이었다. 외톨이가 아니라 스스로 사람들과 적당한 거리를 유지해 가는 '독립적인 존재'였던 것이다.

　그녀는 예전에도 항상 그랬듯이, 지금도 쇼트커트에 그레이 팬츠 슈트의 세련된 차림으로 서 있었다. 그리고 언제나처럼 무리에서 떨어져 혼자 창밖을 바라보고 있었다. 학생 때보다 더 길어진 팔과 다리, 그리고 곧게 뻗은 등…… 미나코는 여전히 당당했고, 변함없이 '나는 나'라는 자아로서의 에너지가 느껴졌다. 나와 눈이 마주치자 그녀는 생긋 미소를 지었다.

　"오랜만이네."

　"그래 오랜만이야, 미나코."

　그녀는 내게서 시선을 떼지 않은 채 맥주를 한 모금 마시더니 말을 이었다.

　"애들 대화에 낄 수가 없네. 내가 모르는 얘기들만 해서……."

　"나도 그래, 넌 아이 없어?"

　"아이? 아직 싱글인 걸?"

　"나도 마찬가지야."

　우리는 서로 마주보며 웃었다.

미나코는 현재 꽤 유명한 광고회사에 다니고 있지만, 언젠가는 일러스트레이터로 독립할 생각이라고 했다.

"다들 말리더라. 안정된 직장 놔두고 그 나이에 무슨 짓이냐고 말이야. 하지만 난 도저히 꿈을 포기할 수가 없어. 하고 싶은 걸 못 하면 죽을 때 엄청 후회하게 될 거야."

미나코는 나를 향해 말하면서 동시에 자기 자신에게도 말하고 있었다. 나는 그녀의 말이 놀라우면서도 반가웠다. 나는 지금까지 서른을 코앞에 둔 대부분의 여자들은 결혼과 함께 안정된 생활만을 바라고 있을 거라 생각해 왔었다. 그래서 안정과는 도무지 거리가 먼 나 같은 사람은 세상에 뒤처져 있는 거라고 굳게 믿었다. 그런데 그렇지 않은 사람도 있었다. 세상이 뭐라 하건 자신의 길을 뚜벅뚜벅 걸어가는 사람이 있는 것이다.

"멋지다, 미나코!"

"고마워."

미나코는 환하게 웃었다.

그녀의 열정이 내게 옮아온 것일까? 나는 단 한 번도 발설하지 않았던 '나의 계획'을 그녀에게 말해 주고 싶었다. 만약 그녀가 비웃거나 이상하게 생각한다 해도 상관없다. 앞으로 만나지 않으면 되니까. 하지만 왠지 미나코는 나를 이해해 줄 것 같았다. 결국 나는 미나코에게 호스티스 일을 한다는 것과 그렇게 모은 돈으로 라스베이거스에 가서 호화롭게 펑펑 써버리겠다는 얘기를 털어놓고 말았다. 말해 놓고 나니 얼마나 속이 후련한지 몰랐다. 어쩌면 나는 그동안 나의 은밀한 계획을 누군가와 절실히 공유하고 싶어 했었는지도 모른다.

미나코는 내 얘기가 끝날 때까지 너무도 진지하게 귀 기울여 주었다. 그리고 내 손을 꽉 쥐더니 "정말 대단해!" 하고 말했다.

"그건 아무나 할 수 있는 일이 아니잖아. 나도 응원할게!"

그 한마디에 오랫동안 혼자 짊어져 왔던 짐이 훨씬 가벼워진 느낌이 들었다.

"그럼 라스베이거스 다녀와서는 뭐 할 거야?"

갑작스러운 질문에 나는 적잖이 당황했다. '그냥 라스베이거스까지야. 거기서 다 끝나'라고 대답할 수는 없지 않은가.

"그냥, 내 미래를 점쳐 볼까 해서……."

"그래?"

미나코는 잠시 입을 다물고 나를 물끄러미 쳐다보았다. 그러더니 다시 시선을 창밖으로 던지며 이야기를 하기 시작했다.

"난 늘 혼자였지만 외롭다는 생각은 별로 안 해봤어. 혼자서 그림 그리고 생각에 잠기는 그 시간이 좋았거든. 늙어 죽을 때까지 내가 좋아하는 그림을 그리면서 살고 싶었어. 하지만 사람들 속에 파묻혀 있다 보면 오히려 내가 가고 싶어 하는 방향이 뿌옇

게 흐려지곤 했어. 그래서 자꾸 나도 모르게 무리에서 떨어져 지내게 되더라. 적어도 혼자서 나를 만나는 그 시간만큼은 내 믿음을 확신할 수 있었거든. 물론 서른 문턱까지 오도록 아직 내 꿈을 펼치진 못했지만 그래도 난 아직 내 길을 가고 있다고 확신해. 하지만 이제 좀 더 과감하게 달려가야겠어. 뭐랄까, 인생의 목적은 늘 분명했지만 지금 이 순간에 뭘 해야 할지, 그런 목표는 약간 희미했었다는 생각이 들어. 네가 라스베이거스라는 선명한 목표를 가진 것처럼 이제 나도 분명하고 확실한 목표를 정해야 할 것 같아."

나는 그녀의 이야기를 한마디도 빠짐없이 들었다. 삶의 목적을 알고 있는 미나코는 방향을 잃지는 않았지만 자신의 발걸음이 너무 더디다고 했다. 반대로 나는 눈앞의 목표는 너무도 선명하지만 삶의 목적을 모르기 때문에 라스베이거스 이후의 시간을 상상할 수가 없다. 아무래도 인생이란 바다는 목적이나 목표 하나만으로는 불완전한 항해를 할 수밖에 없는 모양이다. 신대륙을 찾아가는 범선은 타륜으로써 방향을 잡지만, 돛과 노가 없으면 움직일 수 없다. 결국 미나코와 나는 각각 하나씩만 가지고 있는 셈이다.

난 미나코의 이야기를 듣는 동안 몇 번이고 전율을 느꼈다. 나는 '죽음의 의식儀式'으로서 라스베이거스를 생각하고 있었지만,

그녀는 '삶의 출발점'으로 이해하고 있었던 것이다. 게다가 나의 목표와 계획을 존중할 뿐만 아니라 부러워하기조차 했다. 물론 그녀는 나의 라스베이거스 행에 대해 정반대의 해석을 하고 있지만, 왠지 전혀 의미가 다른 것 같지는 않았다. 무엇보다 그녀는 '내가 생각해 왔던 나'를 훨씬 더 괜찮은 존재로 격상시켜 주었다.

나는 속으로 미나코를 만나게 해준 동창회 행사에 감사했다. 라스베이거스라는 꿈 덕분에 그때까지 외톨이였던 내게도 비밀을 공유할 수 있는 친구가 생기게 된 것이다.

나를 망설이게 하는 것들 너머에
내가 찾는 것이 있다

그날 이후 나는 주말을 틈타 미나코를 종종 만났다. 둘 다 시간을 쪼개 가며 사는 처지라 만나는 시간은 늘 자정 무렵이었고, 약속 장소도 딱 중간지점인 롯폰기였다.

미나코는 나를 만날 때마다 "서둘러! 더 늦기 전에 한 잔이라도 더 마시려면!" 하고는 내 팔을 잡고 곧장 싸구려 술집으로 끌고 갔다. 그런 식으로 우리는 롯폰기에서 가장 싼 와인 바, 맥주 바 등 다양한 바를 섭렵했다. 물론 술이 약한 나는 알코올 도수가 약한 술을 마셨지만 미나코는 독한 위스키를 쭉쭉 들이켰다.

"미나코, 술을 왜 그렇게 마셔대니?"

"스트레스는 이렇게 미리미리 싹을 잘라야 해."

미나코는 일이 너무 많아 밤샘 작업을 해야 할 때도 있었다. 주어진 일을 모두 완수하기 위해서는 무엇보다 '기분'을 잘 관리해야 한다는 게 그녀의 노동 철학이었다.

"마음 맞는 친구하고 술 퍼마시는 것보다 더 좋은 방법은 없잖아. 안 그래?"

미나코는 한쪽 눈을 찡긋하면서 또 스트레이트 잔을 확 들이켰다. 저돌적이면서도 낙천적인 그녀의 자세가 정말 멋져 보였다.

나는 미나코와 함께 보내는 시간이 즐거웠다. 클럽 사와의 동료들이나 손님들과의 애프터 자리에서 술을 마실 때와는 전혀 다른 기분이었다. 일의 연장인 술자리와 10여 년 공백 이후 비로소 제대로 만난 옛 친구와의 술자리는 차원이 다르지 않겠는가.

그렇게 둘이서 주말 아침까지 날밤을 새우고 거의 눈도 붙이지 못한 채 다시 누드모델 일을 하러 아틀리에로 향하곤 했다. 그래도 전혀 피곤하지 않았다. 미나코와 함께 있으면 왠지 힘이 솟고 에너지가 넘쳐났다. 전에는 '벌써 스물아홉 살'이라고 한숨을 내쉬었지만, 미나코와 같이 있으면 '아직도 스물아홉 살'이라며 웃을 수 있었다.

긴자의 상점들은 일찍 문을 닫는 편이다. 오후 7시부터 자정까지는 클럽과 바의 네온이 하늘의 별보다 환하게 빛나지만 그 시간이 지나면 거리는 금세 차분해진다. 하지만 롯폰기는 달랐다. 거리는 자정이 넘으면서부터 사람들이 늘기 시작해 날이 밝을 때까지 온통 활기로 넘쳐난다. 롯폰기는 잠들지 않는 거리였다.

늦바람이 무섭다는 말처럼 나는 미나코와 함께 밤새도록 거리를 쏘다녔다. 그리고 어디서건 값싼 음료만 골라 마셨다. 지출에 관한 한 미나코와 나는 똑같은 입장이었다. 나는 라스베이거스 행을 위한 자금을, 미나코는 프리랜서로 독립하기 위한 자금을 모으고 있는 중이라 쓸데없는 낭비는 피했다. 그래도 우리는 충분히 즐거웠다.

그런 어느 날, 주로 20대들이 모이는 작은 바에서 어떤 할머니를 만났다. 젊은이들로 왁자지껄 붐비는 그곳에서 할머니는 혼자 술을 마시고 있었다. 미나코와 나는 자연히 그 할머니에게서 시선을 뗄 수가 없었다. 롯폰기에서 놀 만큼 세련된 마담도 아니고, 보풀이 인 촌스러운 갈색 스웨터에 부스스한 백발까지, 도무지 그 장소와는 어울리지 않았기 때문이다.

차마 말하긴 뭣하지만 '정신 나간 노인네가 배회하는 건가?'라는 생각도 들 법했다. 하지만 가끔 바텐더와 또박또박 얘기하는 모습을 보면 이런 분위기에 아주 익숙해 보였다. 나는 그 할머니가 무척 궁금해졌다.

"미나코, 저 할머니하고 얘기해 보고 싶지 않니?"

"글쎄, 괜히 실례하는 건 아닐까?"

하지만 시간이 갈수록 호기심은 점점 커지기만 했다.

"미나코, 나 저 할머니한테 말 걸어 볼래."

"야야, 그런 건 멋진 남자들한테나 써먹는 거야."

나는 마침내 술기운을 빌려 옆자리로 가서 과감하게 말을 걸어 보았다.

"안녕하세요. 옆에 앉아도 될까요?"

할머니는 심드렁한 표정으로 고개를 끄덕였다.

"여기 혼자 오셨나요?"

"응."

"여기 자주 오시나 봐요?"

"오늘은 여기서 한 잔, 내일은 저기서 한 잔, 그렇지 뭐."

"와, 멋지다! 롯폰기를 잘 아시나 봐요?"

내가 긴자의 클럽에서 터득한 화술로 치켜세우자 할머니는 설핏 웃음을 보였다. 나는 이때다 싶어 대화거리를 하나하나 끄집어냈다. 그때마다 할머니는 일일이 반응하며 슬슬 마음을 열기 시작했다. 그러더니 저쪽에 혼자 앉아 있는 미나코를 가리키며 이리 오라고 손짓을 했다.

"동행을 너무 내버려두면 안 되잖아."

그러고는 바텐더에게 술을 더 주문했다. 술이 나오자 할머니는 잔을 채우며 말했다.

"홀짝홀짝하지 말고 벌컥벌컥 마셔! 팔팔한 것들이."

우리는 극구 사양했다. 아무래도 형편이 넉넉지 않아 보이는 노인한테 술까지 얻어 마시긴 좀 그랬다. 그러자 할머니는 "괜찮아!" 하며 숄더백에서 집히는 대로 돈을 끄집어냈다. 바텐더에게 내민 것은 놀랍게도 1만 엔짜리 지폐였다. 우리는 눈이 휘둥그레졌지만 바텐더는 익숙하다는 듯 미소를 지었다. 결국 우리 셋은 술잔을 치켜들고 건배했다.

"자, 그럼 여기서는 대충 마감하고 다음 장소로 이동!"

할머니는 벌떡 일어나더니 양손으로 우리를 잡아끌었다.

* * *

"어서 오십시오!"

문을 열고 들어서자 서너 명의 꽃미남들이 우리를 맞았다. 그곳은 남자 스태프들이 서비스하는 일종의 호스트 클럽이었다. 미나코가 내게 귓속말을 했다.

"호스티스가 호스트들한테 서비스를 받다니, 이런 걸 상황 역전이라고 하던가?"

나는 팔꿈치로 쿡 찌르며 웃었다.

그들의 서비스는 정중하다기보다는 친한 친구처럼 꾸밈이 없었다. 할머니는 여기서도 얼굴이 통하는 듯 거침없이 주문했다.

"동페리뇽으로 두 병!"

동페리뇽은 클럽 사와에도 있다. 브랜디나 위스키를 키핑하는 단골손님이 많아서 잘 나가진 않지만 화이트가 7만 엔, 로제가 15만 엔이나 하는 고급 샴페인이다.

'할머니, 무리하지 마세요'라고 말하려는 순간, 업소의 스태프 전원이 우리 주위로 모여들었다. 곧이어 그들 중 한 명이 마이크를 쥐고 큰 소리로 구호를 제창하자 스태프 전원이 '샴페인 콜!' 하고 복창했다. 고가의 샴페인을 주문한 손님에게 감사의 뜻을 표하는 퍼포먼스였다. 그 화려한 연출에 나는 깜짝 놀랐고, 미나코는 아이처럼 깔깔거렸다.

할머니는 계속해서 화려한 안주들을 주문했다. 그러면서도 정작 당신은 별로 입에 대지 않고 우리가 즐기는 모습을 흐뭇하게 감상했다.

그 뒤로도 할머니는 뭔가 아쉽다는 듯 우리를 데리고 몇 군데나 더 옮겨 다녔다. 크고 화려한 바, 숨은 맛집, 클럽의 VIP 룸……. 우리 셋은 마치 내일 세상의 종말이라도 올 것처럼 광란의 파티를 즐겼다.

자칭 '롯폰기 삼총사'인 우리 셋은 서로 약속을 하지 않더라도 자주 만났다. 미나코와 내가 바에 들어서면 먼저 할머니가 있는지 두리번거렸고, 할머니 역시 그랬다. 그러다 우리를 발견하기라도 하면 할머니는 남자처럼 손을 번쩍 들고 "어이, 아마리! 미나코! 이리로 와!" 하고 소리치곤 했다. 그럼 우린 할머니를 '맘 mom'이라고 부르며 얼른 달려갔다.

맘은 항상 곤드레만드레 취한 채 젊은 남자의 시중을 받았다. 처음 만났을 때 혼자였던 것은 순전히 우연이었던 모양이다. 할머니 곁에는 항상 시중을 들거나 말벗이 되는 사람이 앉아 있었다. 그들은 대부분 클럽이나 맨즈 바 등에서 일하는 남자들이거나, 우리처럼 우연히 만난 사람들이었다. 어쨌거나 맘은 여러 명이 함께 마시고 노래하는 왁자지껄한 분위기를 좋아했다.

하지만 몇 번을 그렇게 만나도 맘이 어떤 사람인지, 가족은 어디에 살고 나이는 몇 살인지조차 알 수가 없었다. 아무래도 자신에 대해서는 얘기하기 싫어하는 눈치였다. 딱 한 번 혼잣말처럼 "나한테도 딸이 있었는데……"라고 말한 적이 있다.

혹시 가족을 잃고 혼자가 된 건 아닐까? 아니면 딸이 먼 나라로 이민을 떠난 건 아닐까? 그래서 그런 상실감 때문에 우리를 딸처럼 대해 주는 건 아닐까?

주말만 되면 나타나서 호화판으로 놀다 보니 우리 삼총사는 어느새 롯폰기에서 유명인이 되어 있었다. 주위에서는 우리 셋을 부자 엄마와 두 딸쯤으로 생각하는 것 같았다. 우리도 구태여 그 소문을 부정할 필요를 못 느끼며 마음껏 모녀 놀이를 즐겼다.

맘에 대해서 우리가 알고 있는 것은 아무튼 부자라는 사실뿐이었다. 롯폰기 곳곳에 부동산을 갖고 있다는 소문도 있었지만, 직접 사업을 해서 벌어들였는지 아니면 원래 부잣집 딸인지는 우리도 전혀 알 수 없었다. 맘은 함께 술을 마실 때마다 "성가시니까 너희들이 꺼내 계산해!" 하며 숄더백을 우리에게 그냥 맡기곤 했다. 처음 백을 열었을 때 나는 낮게 비명을 질렀다.

"어머, 세상에!"

백 속에는 카드와 지폐다발이 가득했다. 그러자 맘은 대수롭지 않다는 듯 이렇게 말했다.

"그런 건 다 종이 쪼가리일 뿐이야. 그런 게 아무리 많아도 행복을 살 순 없어."

그 한마디가 가슴을 아프게 찔렀다. 맘에 대해서는 여전히 아는 게 없지만, 언제나 돈을 물 쓰듯 쓰고 호화판을 누려도 왠지 쓸쓸하고 허전해 보이던 그 표정의 비밀을 조금은 이해할 수 있을 것 같았다. 결국 롯폰기의 화려한 파티들도 맘에겐 단순한 '시간 죽이기'가 아니었을까? 그렇게라도 하지 않으면 도저히 따분

하고 쓸쓸해서 견디기 힘들 만큼 마음속에 커다란 구멍이 뚫려 있는 게 아닐까?

그때 맘이 '내친 김에'라는 듯 이야기를 잇기 시작했다.

"너희들 몇 살이라고 했지? 스물아홉? 서른? 요즘 여자애들은 서른만 넘으면 나이 들었다고 한숨을 푹푹 쉰다며? 웃기지 말라고 해. 인생은 더럽게 길어. 꽤 살았구나, 해도 아직 한참 남은 게 인생이야. 이 일 저 일 다 해보고 남편 자식 다 떠나보낸 뒤에도 계속 살아가야 할 만큼 길지. 100미터 경주인 줄 알고 전력질주하다 보면 큰코다쳐. 아직 달려야 할 거리가 무지무지하게 많이 남았는데, 시작부터 힘 다 쏟으면 어쩔 거야? 내가 너희들한테 딱 한마디만 해줄게. 60 넘어서도 자기를 즐겁게 해줄 수 있는 게 뭔지 잘 찾아봐. 그걸 지금부터 슬슬 준비하란 말이야. 내가 왜 이 나이 먹고서도 매일 술을 마시는지 알아? 빈 잔이 너무 허전해서 그래. 빈 잔에 술 말고 다른 재미를 담을 수 있다면 왜 구태여 이 쓴 걸 마시겠어?"

"맘, 그런 재미를 어디서 어떻게 찾아야 할지 알 수만 있다면 얼마나 좋겠어요?"

"닥치는 대로 부딪쳐 봐. 무서워서, 안 해본 일이라서 망설이게 되는 그런 일일수록 내가 찾는 것일 수도 있으니까."

나는 흥분해서 맘에게 라스베이거스 계획을 발설하고 말았다.

그러자 맘은 "미쳤군" 하며 폭소를 터뜨렸다. 그리고 잔을 휙 비우더니 내게 말했다.

"내가 롯폰기 술집에서 들었던 얘기들 중에서 제일 맘에 드는구먼. 해봐, 저질러 봐. 만일 아마리 네가 그 계획을 포기한다면 죽어서도 후회할 거야."

포기라뇨, 절대 안 해요.

나는 고개를 절레절레 흔들었다.

그 뒤로 두세 번 더 만난 이후로 맘은 소리 소문 없이 롯폰기에서 자취를 감추었다. 늘 가던 곳들을 차례차례 다니며 수소문했지만, 맘은 이 화려한 욕망의 거리로부터 완전히 발길을 끊은 듯했다.

작별인사도 없이, 어디로 간다는 말도 없이 사라진 맘을 생각하며, 미나코와 나는 여러 가지 상상을 해보기도 했다.

"아주 괜찮은 남자친구를 만나서 함께 좋은 곳으로 여행을 떠났을지도 몰라."

"아니, 어쩌면 이민 간 딸을 만나러 갔을 수도 있지. 만나서 묵은 오해도 풀고 감동적인 해후를 하셨을 거야."

그러다가 맘이 내게 "해봐, 저질러 봐. 포기한다면 죽어서도 후회할 거야"라고 했던 마지막 한마디가 떠올랐다.

"어쩌면 당신 마음에 깊이 품고 있던 것들을 마지막으로 저질러 보기 위해 떠난 것일 수도 있어. 그게 뭐가 됐건 맘은 속 시원하게 저지를 거야."

나는 속으로 '맘, 파이팅!' 하고 외쳤다.

꿈을 가로막는 것은
시련이 아니라 안정이다

D-3개월.

라스베이거스로 가는 날이 점점 다가오고 있다. 여행 자금은 계속해서 악바리처럼 모으고 있고, 라스베이거스에 대한 자료 검색이나 블랙잭 연습도 하루 한두 시간씩 꼬박꼬박 해나가고 있다.

그런데 문제는 영어회화였다. 책이나 오디오로 공부하는 것은 아무래도 한계가 있었다. 나는 라스베이거스에 머무는 동안 벙어리가 되거나 더듬거리는 영어로 어설프게 시간을 보내고 싶지 않았다. 뿐만 아니라 지도책에 얼굴을 파묻고 다니며 여기저기 길을 물어볼 생각도 없었다. 호텔에서든 길거리에서든, 그리고 카지노에서든 자연스럽고 당당하게 즐기는 것, 거기까지가 내 계획에 모두 포함되어 있었다. 그러자면 무엇보다 언어 소통 문제가 확실하게 해결되어야 했다.

그런 어느 날, 미나코가 내 고민을 듣더니 뭐가 걱정이냐는 듯 말했다.

"롯폰기를 좀 더 학구적으로 활용하는 게 어때?"

아닌 게 아니라 롯폰기에는 각국의 대사관들이 많아서인지 아시아계, 유럽계, 아프리카계 등 다양한 외국인들이 모여들었다. 미나코는 그중에서 유난히 영어권 외국인들의 출입이 잦고, 음료 한 잔에 500엔 정도 하는 값싼 클럽으로 나를 데려갔다.

사실 롯폰기의 외국인이라고 하면 유흥에 빠져 약물에 손을 대는 불량스러운 이미지를 떠올리는 경우가 많다. 이곳에 드나들기 전엔 나 역시 그런 선입관을 가지고 있었다. 하지만 실제로 만나 보니 모국을 떠나 가족과 헤어져 생활하며 열심히 일하고 있는 사람들도 많았다. 따지고 보면 나도 그들과 별반 다를 것 없는 처지라 우리는 쉽게 친해질 수 있었다.

외국인들과 이야기를 하다 보면 한 가지 특이한 점을 발견할 수 있다. 그들은 모르는 사람을 처음 만난 자리에서도 자기 꿈을 당당히 얘기한다.

"내 꿈은 일류 주방장이 되는 거야!"

"난 서른 중반쯤에는 아마 히말라야를 트래킹하고 있을 거야. 틀림없어."

그들은 저마다 꿈의 밑거름을 다지기 위해 머나먼 타국에서 열심히 일하고 있었다. 처음에는 남과 다른 것을 두려워하지 않고 당당히 자신의 의견을 말하는 그들에게 놀랐지만, 시간이 갈수록 나도 서서히 적응이 되어 갔다. 그래서 대뜸 "네 꿈은 뭐야?"라고 물을 때도 솔직히 마음을 털어놓을 수 있게 되었다.

"꿈이라기보다는, 라스베이거스에 가서 카지노에 내 인생 전부를 걸고 한바탕 승부를 펼치고 싶어."

그렇게 말하면 다들 "워워!" 하고 놀라곤 했다. 반응은 제각각이다. "그거 정말 멋진 꿈인데!"라고 엄지손가락을 치켜올리는가 하면, "너무 무모해. 일찌감치 꿈 깨셔!" 하며 고개를 절레절레 젓기도 한다. 찬성이든 반대든 나는 잠자코 듣는 편이지만, 이야기가 진행될수록 자기들끼리 찬반양론으로 나뉘어 격론을 펼치기도 한다.

"갬블은 야만이야!"

도박을 금기시하는 이슬람 친구가 단호하게 말한다.

"좋잖아! 꿈이 있다는 건!"

미국 친구가 나를 옹호하고 나서자 영국 친구도 가세한다.

"라스베이거스 좋지. 나도 한 번 가본 적이 있어."

나는 영국 친구가 정말 라스베이거스를 가봤는지 확인하기 위해 이것저것 꼬치꼬치 캐묻기도 했다. 그러자 그는 "가본 적도 없다면서 어떻게 그렇게 잘 알아!" 하며 놀라워했다. 사실 나는 라스베이거스에 관한 책을 너무 많이 읽어서 이젠 진짜로 가본 사람보다 더 자세히 알고 있었다.

그들은 내가 얼마나 결사적으로 라스베이거스를 공부하고 있는지 모른다. 가이드북을 읽으면서 실제로 여행하는 기분을 느끼고, 유명한 프로 갬블러가 쓴 책을 읽으며 정말 카지노의 흥분에 휩싸이는 식으로 '결전의 날'을 위해 이미지 트레이닝을 반복하고 있다는 사실을.

나는 롯폰기에서 만난 몇몇 영어권 사람들에게 일본어를 가르쳐 주겠다는 조건으로 영어 회화의 파트너가 되어 달라고 정식으로 부탁했다. 살아 있는 영어 회화가 필요한 나에게 그들은 아주 든든한 선생님이 되어 주었다. 그런 어느 날, 함께 어울리게 된 이탈리아 남자가 이렇게 말했다.

"라스베이거스에서 모든 걸 건단 말이지? 아주 독특한 발상이군. 아마리다워!"

"정말? 나답다고?"

"그래, 넌 용감한 도전자야."

정말 그럴까, 나는 용감한 도전자일까?

'남이 알고 있는 나'는, '내가 알고 있는 나'가 아니다. 나는 누드모델을 하면서 느꼈던 감정이 떠올랐다. 그렇다면 내가 알고 있는 나는 진짜 나일까? '나다운 것'은 뭘까? 이전의 나와 지금의 나는 뭐가 다를까?

* * *

타냐는 러시아에서 온 스트립댄서였다.

"가족은 다 러시아에 있어. 나 혼자 돈 벌러 왔어. 난 옷을 벗고 돈을 받아."

그녀는 마치 '난 대기업의 여성 CEO야'라고 말하듯 당당했다.

"그렇구나. 나도 같아. 누드모델 일도 하거든."

우리는 그렇게 해서 친해졌다.

똑같이 '옷 벗는 일'을 하지만 타냐와 나의 몸매는 차원이 다르다. 그녀의 풍만한 가슴과 엉덩이, 잘록한 허리는 일본 여성으로서는 도저히 따라잡을 수 없는 그야말로 '신이 내린 몸매'였다. 글래머러스한 몸과는 달리 얼굴은 한없이 천진하고 귀여웠는데, 그 또한 매력적으로 느껴졌다. 게다가 성격까지 싹싹하고 다정해서 친구들도 많았다.

나는 누드모델답게 그녀가 어떤 식으로 '알몸 춤'을 추는지 궁금했다. 하지만 차마 물어볼 수는 없었다. 그런데 타냐 쪽에서 먼저 나를 초대했다.

"이번 주에 한번 보러 와. 공짜로 보게 해줄게."

"정말?"

나는 약속한 날 새벽 1시 경에 미나코와 함께 타냐의 쇼 클럽으로 향했다. 우리가 뒷문 부근에서 서성거리자 타냐가 "여기야, 여기!" 하며 손짓을 했다. 우리는 종업원 입구를 통해 몰래 극장 안으로 들어갔다. 우리가 최대한 돈을 아낀다는 사실을 잘 알고 있는 타냐가 그런 '변칙 입장'을 고안해 낸 것이다. 자리에 앉자 타냐는 음료를 내주고는 가게 안쪽으로 사라졌다.

클럽 안은 상상했던 것보다는 건전(?)했다. 관객층은 젊은 비즈니스맨 분위기의 남성 그룹이 많았지만, 간혹 여성의 모습도 눈에 띄었다. 다들 무대 코앞에 있는 객석에 앉아 댄스를 구경한다기보다는, 술 마시는 김에 여흥으로 댄스를 즐긴다는 느낌이었다.

곧이어 외국인 댄서들과 함께 타냐가 등장했다. 속옷 차림의 타냐는 음악에 맞춰 봉을 잡고 현란한 춤을 추기 시작했다. 빙빙 돌기도 하고 한 손으로 몸을 지탱하거나 다리로 봉을 휘감고 몸을 젖히는 등 고난이도의 아크로배틱 댄스가 이어졌다. 역동적이고 섬세한 동작이지만 손가락 하나, 발가락 하나까지 온 신경이 두루 미치고 있었다. 온몸에서 섹시한 아우라가 넘쳐 반짝반짝 빛이 날 정도였다. 나는 인간의 몸이 그런 동작을 만들어 낼 수 있다는 사실이 믿어지지 않았다. 그 순간 내 머릿속에는 매일 매일 혼자서 땀을 뻘뻘 흘리며 수많은 동작을 연습하는 타냐의 모습이 떠올랐다. 그러자 더 이상 관객의 시선을 유지할 수가 없게 되었다.

내가 라스베이거스 여행 자금을 모으기 위해 한시적으로 누드모델을 하듯이 그녀 역시 자기만의 간절한 목표를 위해 춤을 추고 있겠지? 아니, 어쩌면 그저 생계를 위해서일 수도 있을 것이다. 사실 그건 중요하지 않다. 내가 밤마다 거울 앞에서 포즈를 연구하듯이 타냐 역시 지친 몸으로 날마다 땀을 뻘뻘 흘리며 춤을 연습할 것이다.

직업에는 귀천이 없다지만 사회 통념으로 인한 선입견은 어쩔 수 없다. 그래, 직업에는 귀천이 있다. 하지만 저마다 흘리는 땀에는 귀천이 있을 수 없다. 그래서 나는 타냐의 외설적인 춤과 볼쇼이 발레단의 무용을 단순 비교할 수 없었다.

요염한 댄스가 계속되는가 싶더니 타냐가 윗옷을 벗고 순식간에 토플리스가 되었다. 타냐가 아름다운 가슴을 드러내자 나는 넋을 잃고 바라보았다. 무대에서 내려오는 타냐 앞에 팁이 건네졌다. 팁을 받아든 타냐는 감사의 표시로 손님의 얼굴을 양쪽 가슴 사이로 확 끌어안았다. 여기저기서 함성과 박수가 터져 나왔다. 타냐는 장난스러운 미소를 짓더니 우리 쪽으로 다가왔다.

'어어, 왜 오는 거야? 설마······.'

바로 그 순간, 타냐는 풍만한 가슴 사이로 내 얼굴을 확 품어 버렸다.

"으악!"

내가 소리를 지르자 사람들이 박장대소했다.

"좋겠다!"

미나코가 깔깔대자 타냐는 그녀에게도 여지없이 가슴 서비스를 하더니, 귀여운 미소를 지으며 무대를 떠났다. 나는 탄력 넘치는 타냐의 엉덩이를 망연자실 보고만 있었다.

* * *

"아마리, 미나코! 나의 레스토랑에 온 것을 환영합니다."

샴이 우아하고 정중하게 우리를 맞았다. 심야 만찬의 초대 손님은 나와 미나코뿐이고, 시간은 이미 자정을 훨씬 넘은 새벽 2시다. 우리는 샴이 직접 세팅한 테이블을 보고 감탄사를 마구 터뜨렸다.

20대 중반의 샴은 인도에서 온 요리사였다. 인도에 있을 때는 궁중요리 레스토랑의 셰프였지만, 일본에 온 뒤로는 아직 허드렛일만 하고 있다. 늦은 밤 오너와 주방장이 퇴근한 뒤에도 그는 혼자 남아 가게를 청소해야 한다. 그런 그가 어느 날 우리를 특별 초대했다.

"가게 문 닫고 아무도 없을 때 놀러와."

모두가 퇴근한 그 시간에 몰래 자신의 요리를 선보이고 싶었던 것이다. 물론 이러다가 들키는 날이면 즉시 해고다. 하지만 그는 꿈을 위해 돈을 아끼고 있는 우리에게 요리를 해주고 싶어 했다. 또한 평소 가게에서 만들지 않는 요리를 만들어서 우리의 평을 듣고 요리 실력을 평가받고 싶다는 의도도 있었을 것이다.

우리가 자리에 앉자 샴은 가게 셔터를 내리고 클로즈 간판을 내건 뒤, 커튼을 쳐서 불빛이 밖으로 새지 않도록 만반의 준비를 마쳤다. 샴은 남은 식재료를 써서 자신의 오리지널 인도 요리뿐만 아니라, 일식과 서양요리에서 영감을 얻은 다국적 퓨전 요리까지 창작해 냈다. 맛은 물론 최고였다. 우리는 쉴 새 없이 젓가락을 움직였다.

"샴, 맛있어! 감동적이야!"

"정말이지, 일류 셰프가 울고 가겠어!"

이건 결코 칭찬에 익숙한 호스티스의 접대용 멘트가 아니었다. 나는 진심으로 샴의 요리에 경탄해 마지않았다. 샴은 쑥스러워하면서도 계속 칭찬을 듣고 싶은지 내 곁에 바싹 다가와 앉았다.

"샴, 이 정도 실력이면 직접 가게를 차려도 되겠는 걸? 청소나 주방보조로 남기엔 너무 아까운 실력이야."

미나코가 말했다.

"사실 처음엔 그런 꿈으로 일본에 왔어. 하지만 지금 하고 있는 일만으로도 인도에 있을 때보다 훨씬 보수를 많이 받거든. 그러다 보니 자꾸 나 스스로 계획을 미루게 되더란 말이지. 미나코, 아마리 너희들을 만나고 나서야 아차 싶었어. 고향에 있을 때 나한테 요리를 가르쳐 주신 선생님이 이런 말을 한 적이 있어. '적의 행군을 막으려면 술과 고기를 베풀어라.' 그게 무슨 말인지 이제야 알 것 같아. 평생의 꿈을 가로막는 건 시련이 아니라 안정인 것 같아. 현재의 안정적인 생활을 추구하다 보면 결국 그저 그런 삶으로 끝나겠지. 그래서 오늘 이 만찬을 계기로 다시 나의 오랜 계획을 실행에 옮기기로 했어."

우리는 샴의 말이 끝나기 무섭게 잔을 높이 들어 '일류 요리사 샴을 위하여!'라고 소리쳤다.

스물아홉 살이 될 때까지 끝없이 안정적인 생활만을 추구하며 살다가 결국 자멸해 버린 나로서는 샴의 이야기가 쓰디쓴 약처럼 느껴졌다. 지금 나의 생활은 확실히 안정과는 거리가 멀다. 나이에 맞게 안정된 생활을 하고 있는 사람들이라면 내가 품고 있는 라스베이거스 계획을 미친 짓이라고 단언할 것이다. 나 역시 그렇게 생각한다. 왜냐하면 라스베이거스는 나의 꿈을 위한 과정이 아니라 그저 '인생의 종착역'처럼 자포자기적인 목표이기 때문이다.

그래도 난 그 목표에 모든 것을 걸었다. 비록 평생의 꿈은 찾지 못했지만, 이 정도 목표만을 위해서라도 전력을 쏟아붓고 싶었다. 나 자신을 한계선까지 밀어붙이지 않고서는 도저히 살아 있다는 느낌을, 살고 싶다는 느낌을 받을 수 없을 것 같기 때문이다.

만찬이 끝나고 디저트를 먹다가 우연히 카드 게임 이야기가 화제에 올랐다. 그때 샴이 끼어들었다.

"나도 인도에서 친구들하고 밤새도록 카드 게임을 하곤 했어."

그 말을 듣자마자 나는 늘 갖고 다니는 카드를 핸드백에서 꺼냈다.

"블랙잭 알지? 한번 해볼까?"

* * *

스물아홉 살의 마지막 날, 최후의 승부를 어떤 게임으로 정할 것인가? 나는 이미 '블랙잭'으로 정해 놓고 있었다.

블랙잭은 카드를 분배하는 딜러 한 명과 플레이어가 몇 장의 카드를 합한 숫자로 머리싸움을 하는 게임이다. 룰은 간단명료하다. 분배받은 카드의 숫자를 더해 가며 21에 가까워지는 쪽이 이긴다. 21이 넘어가면 '버스트'가 되어 패자가 된다.

카드는 2에서 10까지는 숫자 그대로 세고, J(잭 11), Q(퀸 12), K(킹 13) 세 장의 그림 카드는 전부 '10'으로 세며, A(에이스)는 '1'이나 '11' 중에서 자신에게 유리한 쪽으로 셀 수 있다. 이렇게 되면 '10'에 해당하는 카드가 압도적으로 많아지며 이것이 승패의 관건이다.

플레이어는 맨 처음 두 장씩 받게 되는 카드를 본 뒤 다시 한 장 더 추가하고 싶을 때는 '히트', 카드를 추가하지 않고 두 장만으로 승부할 때는 '스탠드'를 선택한다. 예를 들어 '7'과 '8'을 쥐었을 때 플레이어는 두 장을 합한 15로 승부를 할지, 아니면 다시 한 장의 카드를 추가할지 선택해야 한다. 만일 몇 장을 더 받건 6 이하만 되면 21에 좀 더 가까워질 수 있어 승률이 높아지지만, 반대로 6을 넘으면 버스트가 되어 패배하게 된다.

이때 딜러 측 카드는 한 장만 오픈되어 있는 상태(페이스 업)로 분배되기 때문에, 플레이어는 그 한 장을 힌트로 '히트'와 '스탠드'를 선택해야 한다. 한편 딜러 측은 선택의 여지없이 두 장의 합이 16 이하일 때는 자동으로 한 장을 더 뽑고 17 이상일 때는 자동으로 스탠드가 된다. 결국 버스트를 피하면서 어떻게 딜러보다 더 높은 숫자를 만들 것인가, 이것이 블랙잭의 전부이다. 블랙잭은 이처럼 단순한 게임이다. 플레이어는 카드를 더 받을 것인가, 말 것인가를 선택하기만 하면 된다. 하지만 그 '선택'이라는 심리의 세계로 들어가면 블랙잭은 더 이상 단순한 게임이 아니게 된다.

나는 어릴 때 식구들과 재미삼아 블랙잭을 해봤지만, 라스베이거스 행을 결심한 뒤로는 독학으로 철저히 연구하고 있었다. 나의 목표는 라스베이거스에서 원 없이 돈을 펑펑 써보겠다는 것이지, 결코 한 방에 다 날려 버리는 것은 아니다. 그건 근처 강가에서 돈다발을 죄다 날려 버리는 것과 다름없기 때문이다.

내가 진짜 원하는 것은 뒤집어진 한 장의 카드를 놓고 거액의 베팅을 할 것인가, 말 것인가 선택해야 하는 그 초긴장의 상태를 경험하는 것이었다. 그만큼 카지노에서의 매순간을 진지한 승부와 도전으로 채우고 싶었다. 그렇게 전력을 다하지 않는다면 죽을 때 분명 후회가 남거나, 아니면 죽는 것을 주저하게 될 것 같았다. 그래서 나는 더 철저히 카지노를 파고들었다.

그렇게 혼자 집에서 연습하거나 가까운 넷카페에서 웹 게임으로 맹훈련을 하긴 했지만, 실제로 사람들과 게임을 해본 적은 없었다.

"좋았어, 아마리! 우리 실전처럼 해보자!"

미나코와 샴은 아주 적극적이었다.

게임이 시작되자 딜러 역이 된 미나코가 단번에 칩을 회수했다.

"좋았어, 블랙잭! 싹 쓸었어!"

게임의 이름이기도 한 '블랙잭'은 A와 10 혹은 그림카드 두 장만으로 '21'이 된 경우를 말한다. 이 패는 아주 깔끔하면서도 굉장한 파괴력을 지닌다. 칩도 1.5배이며 무조건 이긴다. 만일 상대가 같은 블랙잭 패를 손에 쥐었을 때는 무승부가 되지만, 양쪽 모두 블랙잭이 되는 경우는 매우 드물다. 나와 같이 플레이어 역을 하고 있는 샴이 말했다.

"블랙잭은 단순하면서도 아주 재미있어. 아마리가 왜 좋아하는지 알 것 같아."

"맞아, 하지만 내가 블랙잭을 선택한 이유는 꼭 재미 때문만은 아냐."

"그럼?"

미나코가 나를 보며 눈을 깜빡거렸다.

"그건…… 오로지 운에만 맡기는 게임이 아니니까."

"운에 맡기는 게 아니라고?"

미나코와 샴이 동시에 반응했다.

"물론이야. 계산만 잘 하면 분명 이길 수 있는 게임이야."

카지노의 게임들은 대부분 장기적으로 보면 반드시 카지노 측에 유리하도록 되어 있다. 하지만 블랙잭만은 다르다. 플레이어 측의 선택지가 많기 때문에, 숫자만 잘 다루면 좀 더 유리한 기회를 가져올 수 있는 게임이다. 따라서 기본 전략에 충실히 따르면 승률은 오르기 마련이다.

이 게임에서 절대로 해서는 안 되는 것이 있다면 그것은 '버스트'다. 숫자의 합이 '21'을 넘는 순간, 무조건 패하기 때문이다. '한 장만 더 채우면 21에 좀 더 가까워질 수도……' 하는 게 사람 마음이지만, 그렇게 욕심을 부리다 버스트가 되면 말짱 도루묵이다. 물론 이런 리스크는 딜러 측도 마찬가지다. 그러니까 자신이 버스트가 되기 어렵고 딜러가 버스트가 되기 쉬운 상황을 확률적으로 끌어내면 된다. 여기까지 설명하자 미나코는 눈이 휘둥그레졌다.

"우와, 대단해!"

나는 내친 김에 내가 지니고 다니는 기본 전략 일람표를 펼쳐 보였다. 거기엔 통계학에 근거한 딜러의 페이스 업 카드 수와 내가 가진 경우의 수, 그리고 그때의 상황에 취할 수 있는 최상의 전략이 빽빽하게 적혀 있었다.

"아마리! 너 정말 굉장하구나!"

미나코는 계속 감탄만 했다. 트럼프 게임뿐 아니라 갬블은 통계학과 관련이 있다는 것을 잘 알고 있는 샴도 이런 표는 처음 본다며 흥미진진한 표정을 지었다.

당연히 실전에서는 이런 표를 보면서 플레이할 수 없다. 그러니까 나는 이 표를 완벽하게 외워서 내 것으로 만든 다음, 현장에서 적시에 써먹을 수 있어야 한다.

전략은 스탠드와 히트 이외에도 더블다운, 스프리트 등이 있다. 더블다운이란 맨 처음 두 장의 카드를 보고 될 것 같다는 확신이 들면 베팅을 배로 늘릴 수 있는 룰이다. 그 대신 더블다운 선언을 한 다음에는 단 한 장의 카드밖에 뽑을 수 없다. 그리고 스프리트는 맨 처음 두 장의 카드가 우연히 같은 숫자일 경우, 처음 베팅한 칩과 같은 금액의 칩을 추가하면 카드 두 장을 나눠 각각 플레이할 수 있는 룰이다. 즉 한 번에 두 가지 승패가 가능하다는 얘기다. 그런데 미나코와 교대로 딜러 역을 맡은 샴이 뭔가 이상하다는 듯 고개를 갸웃거리더니 나에게 지적을 했다.

"있잖아, 아마리. 전략이 잘못된 것 같지 않아?"

과연 숫자의 나라인 인도 출신답다. 벌써 기본 전략이 머릿속에 다 들어 있다.

샴의 말대로 내 패의 합은 13, 딜러의 페이스 업 카드가 2일 때, 기본 전략에서는 '스탠드' 사인을 내야 할 상황에서 내가 '히트' 사인을 낸 것이다.

"위험해, 아마리. 버스트가 될 거야."

하지만 나는 아무렇지 않게 대답했다.

"이걸로도 문제없어."

샴이 투덜대며 또 한 장의 카드를 나에게 건넸다. 결과는 5가 나와서 합이 18, 버스트를 면하고 딜러를 이겼다.

"대단해, 운이 좋았어. 아마리."

나는 고개를 저었다.

"운이 아니라니까, 샴. 이건 카운팅이야."

그렇다. 내가 하고 싶은 것은 단순한 기본 전략만이 아니다. 그보다 더 고차원적인 '카드 카운팅'인 것이다. 이 비밀 전략이 내 운명의 열쇠를 쥐고 있었다.

극한까지 밀어붙이다

D-1개월.

나는 라스베이거스 행을 위한 최종 점검에 들어갔다. 지금까지 모은 돈은 목표했던 200만 엔에는 훨씬 미치지 못하지만 적어도 라스베이거스에서의 일주일은 가능하다. 물론 그러기 위해서는 나머지 한 달 동안 전력투구를 해야 한다.

내 머릿속에는 이미 라스베이거스의 골목골목까지 생생하게 입력되어 있고, 거의 모든 호텔과 상점들의 가격, 특징까지 세세하게 외울 수 있다. 영어회화도 관광지에서의 일주일 정도는 무난히 지낼 수 있을 만큼 자신감이 있었다. 딱 하나 아직 불안한 것은 역시 카드 게임이었다.

나는 일확천금을 노리는 게 아니다. 그러나 1년 동안 번 돈을 삽시간에 잃고 싶지도 않았다. 스물아홉 살이 끝나는 마지막 날, 나는 모든 것을 걸고 최후의 도박을 할 것이다. 그 게임에서 지든 이기든 정말 기념비적인 게임을 하고 싶었다. 그러자면 지금보다 훨씬 능숙해져야 한다.

디데이 한 달을 남겨놓은 시점에서 나는 매일 자정마다 샴과 미나코를 만나 카드 게임을 했다. 그들에게는 여흥일 수 있겠지만, 나에게는 최후의 결전을 위한 집념의 훈련 시간이었다. 몸은 지칠 대로 지치고 정신은 극도의 긴장으로 팽팽해진 상태에서 나는 나 자신을 한계점까지 밀어붙이고 있었다. 데드 포인트(Dead Point)를 지나면 비로소 찾아온다는 러너스 하이(Runner's high)를 맛보고 싶었던 걸까? 나에게 어떤 일이 닥치든 그 황홀한 무아지경을 한 번이라도 느껴 보고 싶었다.

샴이 차례차례 젖히는 트럼프 카드를 보며 나는 즉석에서 계산을 하고 있었다.

'6, 5, 6, 7, 6⋯⋯.'

늘었다 줄었다 하는 숫자들⋯⋯ 52장의 카드를 다 젖혔을 때 그 수는 제로가 되었다.

"좋았어, 아마리. 잘했어."

샴은 주방에서 커피를 끓여 왔다. 나는 커피를 한 모금 마시고 한숨을 길게 내쉬었다. 역시 혼자 연습할 때보다 사람을 상대로 연습할 때 더 긴장된다. 망설이거나 오래 생각하다가는 카드를 젖히는 속도를 따라갈 수 없게 된다.

블랙잭 카운팅은 카드 계산이 전부다. 이 계산이 재빠르고 정확하지 않으면 카지노에서 이길 수 없다.

"너무 어려워. 머리가 다 지끈거리네."

옆에서 지켜보던 미나코가 혀를 내둘렀다. 확실히 카드 카운팅은 머리를 써야 한다. 하지만 이 방법은 다양한 카드 카운팅 방법 중에서도 아직 간단한 편이다. 더 들어가 보면 내가 손댈 수도 없을 만큼 엄청난 고난도의 전략도 있다.

원래 나의 전술은 비교적 쉬운 수법인 '하이 로(Hi-Lo)'다. 이 것은 트럼프를 하이 카드와 로 카드, 그 외의 카드 이렇게 세 종류로 나눠 계산하는 방법이다. 하이 카드인 10점 카드(10, J, Q, K)와 A는 마이너스 1로 센다. 그리고 2부터 6까지의 로 카드는 플러스 1로 센다. 그 외의 카드는 제로이며 무시해도 좋다. 딜러와 플레이어에게 분배되어 나온 모든 카드를 이 계산법으로 더하고 빼가는 것이다.

블랙잭은 조커를 제외한 52장의 카드를 사용한다. 이것을 1덱

(묶음)만 사용하는 경우가 있는가 하면, 2덱 이상 사용하는 경우도 있다. 카지노에서는 6덱이나 8덱을 사용하는 테이블도 있지만 어느 쪽이든 카드 매수에는 한도가 있다.

보통 블랙잭에서는 한 번 승부가 아니라 몇 번의 승부가 끝난 다음 사용한 카드를 섞는다. 따라서 카드를 분배하는 동안 남은 카드 매수는 점점 줄어들게 된다. 즉 나온 카드를 모두 기억하고 있다면 남은 카드가 몇 장인지를 유추해 낼 수 있는 것이다. 하지만 1덱이라면 어떻게 해보겠지만, 모든 카드를 기억하여 순간적으로 남은 카드를 파악할 수 있는 사람은 드물다. 나 역시 그건 너무 어렵다.

카드 카운팅이란 이것을 간소화하여 지금 플레이어에게 유리한 카드가 남아 있는지, 딜러에게 유리한 카드가 남아 있는지를 산출해 내는 마법의 계산법이다. 플러스가 크면 플레이어에게 유리하고, 마이너스가 크면 딜러에게 유리하다고 할 수 있다. 상황에 따라 기본 전략과는 다른 전략을 취하든지, 아니면 베팅을 늘리거나 줄이거나 해야 한다.

"그러니까 A나 그림카드가 많이 남았을 때 테이블은 버스트가 될 확률이 높아지는 거야."

17 이상이 될 때까지 카드를 계속 뽑아야만 하는 딜러는, 12부터 16의 패에서 하이 카드를 뽑으면 버스트가 된다.

"플레이어의 메리트도 있어. 하이 카드가 많이 남았을 때를 노려 더블다운하면 효과적으로 이길 확률이 높아져."

베팅을 배로 하는 더블다운으로 승부를 걸어놓고, 로 카드가 나왔다고 후회하는 것처럼 어리석은 일도 없다. 또한 11에서 더블다운을 했는데, A나 2가 나왔다면 카드를 내동댕이치고 싶을 만큼 열이 뻗칠 것이다. 하지만 이겼을 때의 기쁨은 베팅과 마찬가지로 배가 된다.

이런 식으로 젖힌 카드를 보고 순간적으로 계산하는 연습도 좋지만, 그래도 가장 좋은 건 역시 실전이다. 미나코와 샴, 나 이렇게 셋이서 게임을 할 때는 3명 모두에게 분배된 카드를 순식간에 계산하지 않으면 안 된다. 실전에서 플레이어의 수는 최대 6명이다. 하지만 나의 카드 카운팅 능력은 아직 많이 모자란다. 3명이서 하는데도 자꾸 틀리곤 한다. 결전의 날은 이제 앞으로 1개월 뒤…… 나는 시간이 갈수록 초조해졌다.

좀 더 많은 자금을 모으기 위해 주 4일 근무인 클럽 사와의 일을 주 5일로 늘려 달라고 부탁하기도 했고, 휴일에는 누드모델 일을 들어오는 대로 다 받았다. 그러면서도 짬짬이 샴을 졸라 블랙잭 실전 연습을 계속했다. 보다 못한 미나코가 손사래를 쳤다.

"아마리, 좀 쉬어! 그렇게 몸을 혹사시키다간 라스베이거스에

도착하자마자 몸져눕게 될지도 몰라."

샴도 걱정스러운 듯 내 얼굴을 뚫어져라 쳐다봤다.

"그래, 아마리. 요즘 안색이 너무 안 좋아."

난 듣는 둥 마는 둥 시선을 딴 곳으로 돌렸다.

'시간이 없단 말이야. 시간이……'

그 순간 갑자기 시야가 흔들렸다. 그리고 온 세상이 빠른 속도로 빙빙 돌기 시작했다. '어? 이상한데?' 하는 느낌과 동시에 나는 바닥에 쓰러지고 말았다.

"아마리!"

미나코와 샴의 비명이 아득하게 들려왔다. 나는 갑자기 전기가 끊긴 것처럼 깜깜한 어둠에 휩싸였다.

노련한 레이서는 가속페달보다
브레이크를 더 잘 쓴다

'여긴 어디지?'

희미하게 눈을 뜨자 새하얀 천장이 보인다. 새하얀 커튼과 새
하얀 벽지…… 그리고 링거가 눈에 들어온다.

'아, 그래…… 병원이구나.'

나는 병원 침대 위에 누워 있었다. 차츰차츰 어젯밤 일이 떠오
르기 시작했다.

'맞아, 쓰러졌었지…….'

내가 의식이 몽롱해지면서 쓰러지고, 미나코와 샴이 전화로
구급차를 부른 것까지는 어렴풋이 기억이 난다. 내가 병원에 실
려 온 뒤로 무슨 일이 있었는지, 그리고 시간이 얼마나 지났는지

는 알 수 없었다. 그때 간호사가 들어와 링거를 교체하고 체온을 쟀다. 나는 간호사에게 말했다.

"어떻게 된 건지 얘기 좀 해주세요."

간호사는 살며시 미소를 지으며 설명해 주었다. 나는 병원에 오자마자 CT 촬영과 혈액 검사를 받았다. 그리고 '피로 축적에 의한 중증 빈혈'이라는 진단이 내려졌다. 그러니까 나는 '과로'로 입원한 것이다.

"친구 분들은 아침에 가셨어요. 좀 있다 다시 오실 거래요. 그럼 편안하게 푹 쉬세요."

간호사가 병실을 나간 뒤 나는 물끄러미 창밖을 바라보았다. 밖에는 부슬부슬 비가 내리고 있었다. 풀잎 무성한 나무와 초록 풀들은 빗방울을 맞으며 하염없이 흔들리고 있었다. 나는 시간 가는 줄 모르고 그 모습을 바라보았다.

그때 고요하던 병실의 정적을 깨고 복도 쪽에서 다급한 발소리가 울렸다. 그리고 점점 가까워지는가 싶더니 벌컥 문이 열렸다.

"어떻게 된 거야, 아마리! 괜찮아? 괜찮은 거야?"

레이나와 치카, 메구미…… 전우애로 똘똘 뭉친 클럽 사와 동지들이 요란뻑적지근하게 들이닥친 것이다. 그들은 피아노 독주회에서나 볼 수 있는 커다란 꽃다발까지 들고 있었다. 같은 병실 환자들은 일제히 우리에게 시선을 집중했다.

"뭐야, 왜 쓰러졌던 거야? 지금 어때? 힘들진 않아?"

"응, 그냥 과로인 것 같아……. 이젠 괜찮아."

평소에도 내 걱정을 많이 해주던 치카는 거의 울기 직전이다.

"괜찮긴, 과로로 죽는 사람도 있다더라. 몸 좀 챙기고 살아!"

"알았어. 미안해."

나는 엄마한테 혼나는 아이처럼 고개를 푹 숙였다.

"원, 이렇게 말라서 어디…… 많이 먹고 푹 자."

레이나는 계속 내 손을 쥐고 있었다.

"응. 고마워."

"아마리, 아무 생각하지 말고 푹 쉬어. 이럴 때 쉬지 언제 쉬겠어? 그동안 너무 열심히 살았어."

메구미가 말했다. "너무 열심히 살았어"라는 그녀의 말에 갑자기 울컥했다. 태어나서 그런 말을 들어 본 적이 있었던가?

"어쨌든 아무 생각하지 말고 한동안 몸이나 잘 챙겨."

클럽 오픈 시간이 다가오자 그녀들은 재빨리 꽃을 꽂고 "또 올게!" 하며 다시 폭풍우처럼 사라졌다. 나는 그녀들이 흩뿌린 향수의 잔향을 맡으며 "고마워"라고 중얼거렸다. 그때 병실 한 구석에서 웬 남자 간병인이 웃으며 말했다.

"거 자주 좀 오시라고 해요. 병실 분위기가 다 환해지네."

나는 킥, 하고 웃었다.

그리고 얼마 안 있어 이번에는 미나코와 샴이 쳐들어왔다.

"일어났구나. 몸은 좀 어때?"

"응, 괜찮아. 걱정 끼쳐서 미안해."

"그런데 정말 과로가 맞는 거야?"

"응, 아무튼 너무 잘나가도 탈이라니깐."

내가 농담을 하자 미나코는 안심이다 싶은지 활짝 웃었다.

"다행이야. 안색도 좋아졌어. 병원 들어올 때까지만 해도 얼마나 무서웠는지 몰라. 너무 창백했거든."

"지금은 괜찮아. 응, 뭐랄까. 마귀를 떨쳐낸 것처럼 산뜻해."

"이렇게 푹 자본 거 아주 오랜만이지?"

정말 그런 것 같다. 돌이켜 보니, 지난 11개월 동안 한 번도 쉬어 본 적이 없었다. 아침부터 저녁까지 회사에 다니고, 밤에는 긴자의 호스티스, 주말에는 누드모델, 그 틈틈이 애프터와 영어 공부, 블랙잭 훈련……. 도대체 언제 잠을 잤나 싶기도 했다.

라스베이거스 행을 정하고부터 지금까지 1분 1초도 헛되이 보낸 적은 없었고, 뒤를 돌아볼 여유도, 고민할 시간도 없었다. 계속 달리다 보면 딴생각할 겨를도 없고, 옥죄어 오는 불안에 발목 잡힐 일도 없을 것 같았다. 오직 목표만을 향해 한눈팔지 않고 달려왔던 11개월, 정말이지 나는 휴식 따위에 신경 쓸 여유가 없었다. 하지만 너무 많이 달린 것 같다. 몸이 보내는 비명을 알아

듣지 못하고 결국 결승점 앞에서 쓰러지고 만 것이다.

"예전에 카레이서를 취재하다가 이런 얘기를 들은 적이 있어."

미나코가 말했다.

"초보 카레이서들은 매순간 가속페달을 있는 힘껏 밟으려고만 한대. 하지만 노련한 카레이서는 가속페달보다는 브레이크를 더 잘 쓴다는 거야. 지금 너한테 딱 필요한 말 같지 않아?"

"난 브레이크가 있는지도 몰랐어."

"브레이크를 안 쓰면 차가 커브 길에서 전복되거나 엔진 과열로 폭발할 수 있어. 명심해. 너를 결승선까지 데려가 주는 건 네 몸뿐이야. 몸을 홀대하면 결국 몸이 너를 거부하게 될 거야. 하긴 나도 이런 말 할 자격은 없지. 공범이니까."

미나코는 화제를 돌리려고 머리맡에 놓인 화병을 들어올렸다.

"우와! 꽃 예쁘다."

"응, 좀 전에 클럽 사와 친구들이 다녀갔어."

"그랬구나."

'친구'라는 말이 내 입에서 이렇게 자연스럽게 나오다니.

그때 미나코가 내 쪽으로 돌아섰다.

"아마리, 난 언제나 네 편이야. 하지만 건강은 조심해. 네가 쓰러지면 슬퍼할 사람들이 많다는 걸 잊지 마."

"응, 고마워."

나는 또 한 번 가슴이 뜨거워졌다.

나를 걱정해 주는 사람들이라니…….

나는 스물아홉의 마지막 날을 원 없이 호화롭게 보내고, 서른 살 생일에 생을 마감하기로 했다. 그것을 위해 폭주족처럼 달려 왔다. 하지만…….

자욱한 회색빛 구름 같은 것이 가슴 깊은 곳에서 스멀거린다. 그것을 없애려고 나는 머리를 흔들며 창밖으로 눈을 돌렸다. 회색빛 하늘 아래, 비를 맞은 초목이 조용히 흔들리고 있었다.

D-Day

무수히 많은 사람의 손을 거쳐 왔을 이 5달러짜리 지폐가 갑자기 나를 뭉클하게 했다. 1년이라는 치열한 시간을 환전해서 여기까지 날아와 인생을 건 도박 끝에 5달러를 번 것이다. '……그래, 이긴 거야. 달랑 5달러지만 난 이긴 거야!'

타임 투 세이 굿바이

퇴원하고 다시 3평짜리 나의 원룸으로 돌아왔다. 오랜만의 휴식으로 인해 내 몸은 어느 때보다 가벼워졌다. 이제 다시 엔진을 재정비하고 라스베이거스를 향해 달려야 할 시간이다. 하지만 나는 파견사원 업무 외에는 일을 잠시 멈추기로 했다. 클럽 사와의 마담 역시 내 몸이 정상으로 돌아올 때까지 푹 쉬라고 말했다.

나는 현재까지 준비된 사항들을 하나하나 점검하기 시작했다. 여행자금은 더 이상 늘릴 수 없는 대신 일정을 좀 더 세밀하게 짜야 할 것이다. 가능한 한 쓸데없는 경비를 최소화하되 라스베이거스에서 누려야 할 것들은 과감하게 누려야 한다. 그것은 사치가 아니라 목적이다. 아니, 내가 스스로 허락한 사치 그 자체가 라스베이거스 행의 핵심이다.

블랙잭 연습도 지금 수준에서 만족하기로 했다. 지금 실력으로도 풋내기 관광객들보다는 훨씬 수준 높은 게임을 할 수 있으리라 판단한 것이다. 이제 더 이상의 욕심은 거둬들여야 한다.

나는 여행사를 순례하다시피 하면서 더 이상 어떻게 해볼 수 없을 만큼 철저하게 일정을 짰다. 그리고 그 일정에 맞춰 매일 밤마다 상상여행을 떠났다. 그것은 일종의 이미지 트레이닝으로, 나를 라스베이거스 거리에 세워 둔 채 발생 가능한 모든 상황을 상상해 보는 것이었다.

그렇게 하루, 또 하루의 시간이 흘렀다.

출발 날짜가 손에 잡힐 듯 가까워질수록 가슴이 두근거렸다. '정말 해낼 수 있을까?'라는 생각이 불현듯 머리를 스쳤다. 내가 생각했던 것과는 전혀 다른 의외의 상황이 닥치지는 않을까? 느닷없이 몸이 덜덜 떨릴 만큼 불안해지기도 하고, 어느 순간 미칠 듯한 황홀감에 몸서리치기도 했다.

* * *

서른 번째 생일을 일주일 앞둔 7월의 어느 날, 나는 라스베이거스로 향하는 비행기 안에 앉아 있었다. 4박 6일의 여행 일정중 마지막 날, 나는 서른 살이 된다.

　가방에는 여행자수표와 달러가 들어 있다. 1년 동안 파견사원, 호스티스, 누드모델로 일해서 번 돈은 모두 150만 엔, 그중 여행사에 지불하고 남은 전액이 고스란히 가방 안에 들어 있다. 계획대로라면 서른 번째 생일을 맞는 그날, 나는 완전히 빈털터리가 되거나 아니면 평생 만져 보지 못할 거금을 손에 쥐게 될 것이다.

　어쨌거나 상관없다. 라스베이거스의 카지노에서 내가 진짜 얻고자 하는 것은 일확천금이 아니라 '느낌'이니까. 세상에서 가장 화려한 곳, 인간의 욕망이 가장 극명하게 표출되는 그 현장에서 나는 그 모든 느낌들을 흡수할 것이다. 그리고 미련 없이 세상을 떠날 각오까지 다 준비됐다. 그런 의미로 본다면, 나의 베팅액은 '나'라는 존재 자체인 셈이다.

　라스베이거스까지는 직항 편이 없기 때문에 로스앤젤레스에서 갈아타야 한다. 비행기는 지금 막 LA공항을 이륙했다. 이변이 없는 한 이제 내가 딛게 될 땅은 라스베이거스가 될 것이다. 가슴이 터질 것만 같다.

　더 이상 두려운 건 없었다. 롯폰기의 외국인 친구들과 영어로 수다를 떨 만큼 기본적인 회화에는 자신이 있었고, 서점이나 인터넷에서 관련서적과 가이드북을 읽고 또 읽었기 때문에 이젠 눈을 감고도 거리를 걸을 수 있을 정도였다. 오히려 지나치리만큼 철저하게 준비한 것이 순수한 감동을 방해하지는 않을까, 그런 묘한 불안감까지 들었다.

잠시 후 기내방송이 흘러나왔다. 맥캐런 공항이 가까워지고 있었다. 창밖을 보니 한낮의 태양이 내리쬐는 광활한 사막 한가운데에 돌연 신기루 같은 라스베이거스의 거리가 모습을 드러냈다. 쭉 뻗은 거리 양쪽에는 높다란 호텔과 다운타운이 자리하고 있다. 수많은 책에서 닳고 닳도록 봤던 풍경이 그대로 펼쳐졌다. 나는 정말 라스베이거스에 온 것이다. 흥분과 설렘이 극에 달했는지 몸이 뜨겁게 달아오르며 부들부들 떨려오기 시작했다.

비행기가 활주로에 내리고 문이 열렸다. 나는 후들거리는 다리로 1년 동안 간절히 바라고 바라던 땅 위에 내려섰다.

'자, 이제 시작이다. 후회 없이, 미련 없이 호화롭게 노는 거야.'

공항 터미널 빌딩으로 들어서는 순간, 요란한 소리가 여기저기서 울렸다. 슬롯머신이었다. 라스베이거스에서는 슬롯머신이 '당신을 환영합니다!'라는 멘트를 대신하는 것만 같았다.

수화물 찾는 곳에서 가방을 챙겨든 뒤, 나는 재빨리 터미널을 빠져나왔다. 바깥은 사막 특유의 강한 태양이 이글이글 타오르고 있었다. 섭씨 40도에 육박하는 더위 속에서 나는 순식간에 땀투성이가 되었다.

공항 셔틀 버스에 몸을 싣고 베네치안 호텔로 가는 동안, 거리를 가득 메운 엄청난 규모의 시설물에 나는 입을 다물지 못했다. 세계 최대의 호텔이자 카지노 리조트인 'MGM그랜드', 디즈니랜드의 신데렐라 성 같은 '엑스칼리버', 맨해튼의 고층빌딩을 재현한 '뉴욕, 뉴욕'……. 나는 그 어마어마한 건물들을 보며 '인간의 상상력'이란 것에 새삼 경탄했다.

호텔에 도착하자 실제로 이탈리아의 베네치아에 온 것 같은 착각이 들었다. 호텔 앞에는 물이 흐르고 그 위로 곤돌라와 칸초네를 부르는 뱃사공, 그리고 산마르코 광장과 두칼레 궁전, 리알토 다리 등 물의 도시를 대표하는 풍경이 고스란히 펼쳐졌다.

현란하고 호화로운 입구를 지나 로비로 들어서자 온통 프레스코화로 채워진 높다란 돔 형태의 천장이 보였다. 나는 이런 것에 아주 익숙한 척하려 애썼지만 소용없었다. 걸을 때마다 새롭게 나타나는 풍경 때문에 흘끔흘끔 둘러보지 않고는 도저히 견딜 수가 없었다.

입실 수속을 마치고 카드키를 받아든 뒤 시큐리티 존을 지났다. 가는 길에 1만 평방미터가 넘는 거대한 카지노 플로어가 펼쳐졌다. 수천 대의 머신과 테이블이 들어차 있는 플로어는 두뇌 회로를 마비시킬 것 같은 전자음이 끝없이 울려 퍼지고 있었다.

'이곳이 내 결전의 무대…….'

가슴 속에서 뜨거운 것이 끓어오르는 것을 꾹 참고 엘리베이터로 향했다. 도중에 쇼핑가가 있는 2층에 들르니, 그곳에도 운하가 흐르고 곤돌라가 떠 있었다. 올려다보니 실내인데도 푸른 하늘이 실감나게 펼쳐져 있었다.

여기저기 둘러보고 싶지만 일단 짐부터 풀어야 한다. 객실 층에 내려 긴 복도를 걸어 겨우 방문 앞에 이르렀다. 생애 최초로 들어가 보는 스위트룸, 단 며칠뿐인 짧은 시간이지만 내 인생의 마지막 성이 되어 줄 방이다.

베네치안 호텔은 모든 객실이 60평 이상의 넓은 스위트룸으로 이루어져 있다. 내 방은 최고 등급은 아니지만 거실과 침실이 분리되어 있고 욕실에는 소형 텔레비전이 딸려 있다. 충분히 넓고 우아하며 꿈꾸던 모든 것들이 갖춰져 있다. 나는 피로에 지쳐, 아니 감격에 겨워 침대 위로 몸을 던졌다.

라스베이거스는 아직 오후 3시, 일본과의 시차는 서머타임 때라 16시간이다. 얼른 거리로 나가고 싶은 마음이 굴뚝같았지만, 앞으로의 컨디션 조절을 위해 잠깐 잠을 자둘 필요가 있었다. 비행기 안에서도 잠을 못 자고 밤을 꼴딱 새우지 않았던가. 나는 나 자신에게 기꺼이 잠을 허락했다.

* * *

알람 소리에 눈을 떴다. 방은 깜깜한 암흑이었다.

'여긴 어디지?'

순간적으로 기억이 멈춰 버렸다. 내가 라스베이거스에 와 있다는 것을 깨닫기까지는 시간이 걸렸다. 다음 순간 나는 총알같이 일어나 커튼을 젖혔다. 안타깝게도 방향이 거리 쪽이 아니라서 라스베이거스의 밤거리는 제대로 보이지 않는다.

'얼른 나가자!'

나는 황급히 옷을 갈아입었다. 이 여행을 위해 나는 1년 동안 차곡차곡 옷을 준비해 왔었다. 나는 원래 옷을 아무렇게나 입는 스타일이었다. 하지만 스물아홉 살 이전까지 샀던 옷들보다 이한 해 동안 장만한 옷이 훨씬 많고, 훨씬 비쌌다. 그중에는 긴자와 롯폰기에서 몇 차례 입어 본 것들도 있지만, 오직 이날만을 위해 아껴 둔 옷도 있었다.

산책할 때 입을 옷을 비롯해서 런치, 디너, 호텔 바, 카지노 등 상황과 장소가 바뀔 때마다 계속해서 옷을 갈아입을 작정이었다. 옷만 제대로 입어 줘도 마음의 자세가 엄청나게 달라진다는 그 분명한 진실을 이제 나는 알고 있다.

문을 열고 나와 길고 긴 복도를 걸어 호텔을 나섰다. 상점과 행인, 네온이 화려하게 빛나는 밤거리를 다양한 국적, 다양한 인종의 사람들이 활보하고 있다. 미국에서 가장 치안이 잘 되어 있다는 말을 증명이라도 하듯 여기저기 보안요원들이 서 있었다. 이런 길이라면 한밤중에 여자 혼자 걸어도 전혀 두려울 게 없을 듯했다.

나는 마치 집에서 바람 쐬러 나온 사람처럼 자연스럽게 걸었다. 그리고 가능한 한 감탄사를 입 밖으로 내지 않기로 굳게 마음을 먹었다. 터져 나오는 탄성마저 내 속에 꼭꼭 간직하고 싶었기 때문이다. 라스베이거스는 '인간이 밤을 지배했다'는 생생한 증거와도 같다. 세상의 그 어떤 사진도, 그 어떤 영상도 이곳을 제대로 표현할 수는 없다.

'이제 뭐 좀 먹어야겠다!'

눈이 먼저 포식했으니 이제 입과 배를 채워야 한다. 라스베이거스에서의 첫 식사를 어디서 시작할 것인가? 나는 오래전부터 이미 파리스 호텔 뷔페를 생각해 두고 있었다. 걷다가 에펠탑이 보이면 그곳이 파리스 호텔이다. 물론 파리의 에펠탑보다는 절반가량 작지만…….

유명한 뷔페답게 줄을 서서 기다린 끝에 나는 드디어 뷔페로 들어섰다. 어마어마한 요리와 다양한 디저트가 마치 작품 전시회처럼 펼쳐져 있었다. 그러나 가격은 의외로 저렴한 편이었다. 라스베이거스는 카지노에 돈을 쓰게 하려고 음식점 가격을 비교적 낮게 설정해 놓기 때문이다.

혼자서 뷔페라니, 1년 전의 나라면 주변의 이목에 신경 쓰느라 제대로 먹지도 못했을 것이다. 하지만 이제 그런 건 아무래도 괜찮다. 남이 어떻게 보든 상관없다. 중요한 것은 이 순간을 얼마나 즐길 수 있는가, 오직 그것뿐이다. 나는 최대한 천천히 요리를 음미했다. 그리고 뷔페를 나와 게으른 코끼리처럼 느릿느릿 걸어서 벨라지오 호텔로 향했다.

넓따란 연못이 대지 면적의 절반을 차지하는 벨라지오는, 베네치안 호텔과 함께 마지막 순간까지 나를 갈등하게 만들었던 최고급 호텔이다. 결국 베네치안 호텔에 묵기로 결정하긴 했지만, 라스베이거스에서의 마지막 날까지 이곳을 매일매일 찾아오리라.

그때 연못에서 커다란 분수가 뿜어져 나오자 사람들이 일제히 환호성을 질렀다. 영화 〈오션스 일레븐〉의 라스트 신에서 봤던 것과 똑같이 벨라지오의 분수 쇼가 시작된 것이다. 사라 브라이트만이 부르는 '타임 투 세이 굿바이'에 맞춰 형형색색의 조명과 함께 분수가 춤을 추었다. 천 개가 넘는 분출구에서 뿜어져 나온 물줄기가 하늘 높이 솟구치며 매끄러운 곡선을 그렸다. 인간이 만들어 낸 물과 빛과 음악의 군무를 지켜보며 나는 생각했다.

'그래, 이제 안녕이라고 말할 시간이야.'

나도 모르게 볼 위로 뜨거운 눈물이 흘러내렸다.

지난 1년 동안 나는 아무리 힘들어도 결코 눈물을 흘리지 않았다. 훌쩍댈 시간마저 없었다. 하지만 지금 이 순간은 흐르는 대로 내버려두자. 분수의 물줄기에 푹 젖은 것처럼 얼굴이 온통 젖는다 해도 그냥 내버려두자.

Time to say goodbye······.
이제 나는 내가 알던 나로부터 영원히 떠난다.

스물아홉의 마지막 날

사진을 찍거나 기념품 가게를 기웃거리는 짓 따위는 하지 않았다. 그럴 시간도, 그럴 마음도 없었다. 나는 시시껄렁한 여가를 보내기 위해 여기 온 것이 아니다. 돌아가서 사람들에게 자랑하기 위해서 온 것도 아니다. 서른이 될 때까지 아무것도 채우지 못하고, 아무것도 느끼지 못했던 가엾은 내면의 감각들에게 그저 잔치를 베풀어 주고 싶었을 뿐이다.

'나'라는 주인을 잘못 만나 3평짜리 원룸에 갇혀 눅눅하고 음침하게 퇴화되고 있었던 나의 오감에게 나는 말했다.

'그동안 미안했어. 늦었지만, 그리고 이번 한 번뿐이겠지만 누릴 수 있는 대로 누려 봐.'

나는 마치 일생일대의 전투에 뛰어들 듯 3일 동안 라스베이거스의 구석구석을 바람처럼 배회하기 시작했다. 거대한 로마제국 같은 시저스펠리스 호텔과 MGM그랜드, 엑스칼리버 호텔, 그리고 그 안에서 펼쳐지는 화려한 쇼를 구경하고 헬리콥터로 라스베이거스의 야경도 만끽했다. 스트라토스피어 전망대의 무시무시한 놀이기구와 지상 3,000미터 높이에서 점프하는 스카이다이빙, 그리고 프리먼트 거리에서 천만 개의 LED가 뿜어내는 빛과 소리의 쇼에도 매료되었다. 상상은 현실보다 과장된다고 하지만, 라스베이거스에서는 현실이 상상을 초월한다.

날이 밝을 무렵부터 늦은 밤까지는 그렇게 밖에서 온몸으로 라스베이거스의 공기를 흡수했고, 호텔 방으로 돌아와서는 결전의 날을 위해 잠들기 전까지 카드 카운팅의 최종 체크에 공을 들였다. 그리고 베네치안 호텔의 카지노를 수차례 들락거리며 사전 답사를 하고 또 했다. 블랙잭은 지역이나 호텔마다 미묘한 룰의 차이가 있기 때문에 미리 확인해 둘 필요가 있었다.

카지노의 분위기에 익숙해지려고 미니멈 5달러 테이블을 찾아 여러 게임을 해보기도 했다. 하지만 그토록 연습을 거듭했어도 실제 카지노의 분위기에 주눅이 든 탓인지 내 몸은 잔뜩 굳어 있었다. 플레이어와 딜러 사이에는 무엇이든 손으로 건네서는 안 된다는 원칙을 잊고, 현금을 카지노 칩으로 교환할 때 딜러에게 직접 돈을 건네는 초보적인 실수까지 저지르고 말았다.

'괜찮아. 이런 실수들도 미리 해보는 게 좋아. 마지막 날, 그날을 위해 모든 것을 익혀 두는 거야.'

그렇게 사흘을 보낸 뒤, 드디어 운명의 마지막 날을 맞이했다.

관광도 여행도 이제 다 끝났다. 이제 치열하고 뜨거웠던 나의 1년을 마감하게 될 최종 임무만 남았다. 오늘 밤은 라스베이거스에서 보내는 마지막 밤이자, 나의 스물아홉 살이 끝나는 마지막 밤이다.

나는 해 지기 전까지 오로지 카지노에만 집중하기 위해 베네치안 스파를 방문했다. 지금까지의 피로와 오늘의 긴장을 풀어야 했기 때문이다. 스파 입구에 들어서자 정면에 암벽등반용 클라이밍 벽이 펼쳐졌다. 이곳은 스파와 살롱 외에도 트레이닝 스튜디오, 피트니스 스튜디오, 그리고 수영장까지 갖추고 있었다.

피트니스에서 가볍게 몸을 풀고 사우나와 증기탕에서 땀을 뺀 다음, 욕조에 몸을 담그고 긴장된 근육을 최대한 이완시켰다. 그리고 100종류가 넘는 옵션에서 마사지 하나를 선택했다. 영화배우처럼 핸섬한 남자 스태프에게 마사지를 받은 다음 살롱에서 네일 케어까지 했다. 그렇게 몸도 마음도 상큼하게 가다듬은 뒤 4층에 위치한 옥외 수영장으로 향했다. 탈의실에서 비키니를 꺼내든 순간, 나는 오랜 버릇처럼 잠시 망설였다.

'괜찮아. 넌 지금 최고로 아름다워.'

나는 자신에게 그렇게 말했다. 내 체중은 이제 47킬로그램까지 와 있었다. 1년 사이에 25킬로그램 넘게 살이 빠진 것이다. 이제 나는 예전의 내가 아니다. 누구 앞에서도 당당할 수 있다. 나는 태어나서 처음으로 비키니를 입고 사뿐사뿐 수영장으로 나갔다.

* * *

사막 한복판의 인공 오아시스 주변에는 열대의 나무와 아름다운 구조물들이 나란히 하늘을 향하고, 수면은 새파란 하늘빛으로 찰랑찰랑 빛나고 있었다. 나는 선글라스를 쓰고 비치체어에 드러누워 칵테일과 샌드위치를 주문했다. 주변에는 이런 호화판에 아주 익숙해 보이는 부류의 사람들이 연인끼리, 혹은 가족끼리 와서 한껏 즐기고 있었다.

'저들 눈에도 내가 자신들과 같은 부류처럼 보일까? 내가 이 짧은 순간을 위해 1년 동안 직직한 3평짜리 원룸에서 살면서 하루 20시간 넘게 일했다는 사실을 짐작이나 할까?'

그런 생각이 들자 기분이 묘해지면서 약간 쾌감이 일었다. 최고급 룸에 머물며 카지노에서 아무렇지도 않게 거금을 날리는 사람들에게 150만 엔이라는 나의 전 재산 따위는 돈도 아닐 테지. 하지만 아무래도 상관없다. 돈이 많건 적건 간에 이 순간의 행복이 중요할 뿐이다. 더구나 지금 내가 누리는 사치는 죽을힘을 다해 발버둥친 대가로 얻은 것이 아닌가?

호스티스로 일하면서 호화로운 레스토랑이나 부자들이 노는 곳에 따라가 본 적은 있지만, 이만큼 만족스러웠던 적은 단 한 번도 없었다. 고생해서 얻은 만큼 나는 지금 최고의 시간을 누리고 있는 것이다. 나는 라스베이거스의 햇볕 아래서 유유자적 헤엄을 치거나 파라솔 아래 드러누워 잠을 자며 꿈같은 시간을 보냈다. 서서히 저물어 가는 해를 바라보며 칵테일을 마시고 있는데, 누군가 영어로 말을 걸어왔다. 키가 큰 백인 남자였다.

"어디서 오셨나요?"

롯폰기의 클럽에서도 몇 번인가 작업을 걸어오는 사람은 있었지만 그것과는 차원이 다르다. 꿈에 그리던 리조트의 상큼한 푸른 하늘 아래, 맷 딜런을 닮은 꽃미남 외국인이 말을 걸어오고 있지 않은가! 나는 두근거리는 가슴을 누르며 서툰 영어로 대답했다.

"일본이요. 당신은?"

"와! 일본? 저는 뉴욕에서 왔어요. 가족과 함께인가요?"

"아뇨, 친구요."

순간적으로 거짓말을 했다. 주위는 온통 커플과 친구, 가족뿐이다. 여자 혼자 여행 왔다고 하면 괜히 이상한 생각을 품을지도 모른다.

"그래요? 저도 친구랑 왔는데. 그 친구는 지금 카지노에 있어요. 친구 녀석은 이렇게 가슴이 확 트이는 수영장을 놔두고 완전히 카지노에만 빠져 있답니다. 그런데 혹시 학생이세요?"

역시 동양인은 어려 보이는 모양이다. 내일이면 서른이 되는 나를 학생으로 보다니, 나는 그냥 "예스"라고 대답했다.

"저는 로브라고 합니다. 변호사죠."

얼핏 장난기가 많아 보였지만, 얘기를 나눠 보니 똑똑하고 신사적인 데다 아주 매력적이기까지 했다. 로브는 "혹시 괜찮다면……" 하고 본론으로 들어갔다.

"오늘 저녁 함께 하는 거 어때요?"

세상에 이런 횡재가! 20대의 마지막 밤을 이렇게 멋진 사람과 함께 할 수 있다니.

나는 속내를 감추고 여유롭게 "그렇게 하죠"라고 대답했다.

우리는 오후 6시에 호텔 로비에서 다시 만났다. 라스베이거스에서의 마지막 저녁 식사를 위해 나는 아껴 둔 핑크색 시폰 원피스에 숄을 걸쳤다. 로브는 군청색 재킷에 한층 더 예의를 갖춘 모습으로 나타났다.

나는 그를 따라 아늑한 분위기의 이탈리안 레스토랑으로 들어 갔다. 레스토랑 입구는 '알 만한 사람은 다 안다'는 느낌을 노린 건지 일부러 찾기 어렵게 해놓은 것 같았다. 호텔 안에만 16곳이 나 되는 레스토랑 중에서 이렇게 구석진 곳에 보물 같은 최고급 레스토랑이 있다는 사실을 나는 마지막 날에야 알게 됐다. 라스 베이거스에 도착한 뒤로 뷔페나 패스트푸드, 패밀리 레스토랑은 다녀 봤지만, 입구에서부터 고급스러운 느낌이 확 풍기는 정통 레스토랑은 처음이었다.

계단 아래로 곤돌라가 떠다니는 운하를 바라보면서 우리는 코 스 요리를 즐겼다. 마치 영화 속 주인공이 된 듯했다. 맛있는 요 리와 우아한 음악, 눈앞에는 매력적인 남성…… 이 완벽한 분위 기에서 대체 무엇이 더 필요할까.

식사가 끝나자 로브는 "바에서 한잔 더 할까요?" 하며 나를 (본 격적으로) 유혹하기 시작했다. 사실 라스베이거스의 야경이 보이 는 호텔 바에 구미가 당기긴 했다. 만일 이런 일이 어제 생겼더 라면 난 응했을지도 모른다. 하지만 오늘 밤, 나에겐 해야 할 일 이 있었다.

"정말 미안해요. 전 이제 가봐야 해요."

나는 정중하게, 그러나 단호히 거절했다.

나의 스물아홉도 이제 몇 시간밖에 남지 않았다. 신데렐라의 마법이 풀리기 전에 임무를 완수해야 한다. 로브는 꽤나 아쉬워했고 나 역시 미련이 있었지만 어쩔 수 없었다. 나는 연락처도 교환하지 않고 어떤 약속도 하지 않았다.

서른 살이 되는 내일…… 어쩌면 나는 이 세상에 없을지도 모르니까.

주저할 때가 바로
승부를 걸어야 할 때

나는 다시 객실로 올라가 옷장을 활짝 열었다. 그리고 이 순간을 위해 오래전부터 준비해 둔 의상을 꺼내 침대 위에 펼쳐 놓았다. 나는 결전의 장으로 떠나는 전사의 심정으로 천천히 옷을 갈아입었다. 노출이 심한 검정 드레스에, 이미테이션이지만 화려한 목걸이를 하고 굵은 반지를 꼈다. 머리는 정성껏 말아 올리고, 긴자에서 갈고 닦은 솜씨로 눈부시게 화장까지 했다. 그리고 마지막으로 거울 앞에 섰다.

거기, 익숙하면서도 낯선 여자가 서 있었다. 그녀는 아름다웠지만 위험해 보였고, 행복해 보였지만 동시에 슬픔도 간직하고 있었다.

"나의 20대여, 이제 안녕."

나는 시계를 꺼내 11시 59분에 울리도록 알람을 맞춰 놓았다. 이 알람이 울리면 라스베이거스의 일정과 더불어 나의 스물아홉 살도 끝을 맞이하게 될 것이다. 블랙잭 게임에서 거금을 따건 빈 털터리가 되건 나는 11시 59분에 미련 없이 일어설 것이다. 나의 목표는 그 시각까지 계속 게임을 하는 것이다.

모든 준비를 마친 뒤, 나는 조용히 문을 닫고 카지노를 향해 천천히 걸음을 옮겼다. 요란하고 화려한 카지노 플로어에 들어서는 순간 온몸의 신경이 곤두섰다. 하지만 나는 침착하게, 수수께끼의 동양 미녀 같은 이미지를 그대로 유지한 채 가슴을 펴고 사뿐사뿐 걸었다. 사람들의 시선이 느껴졌다. 나이 지긋한 백인 여자가 "정말 아름다워요!" 하고 말을 건네기도 했다. 나는 마치 귀부인처럼 우아하게 목례를 했다.

2천 대가 넘는 게임 머신과 130대의 게임 테이블을 갖춘 넓디넓은 카지노 플로어에는 수많은 사람들이 북적이고 있었다. 나는 다른 곳에는 눈길조차 주지 않고 오직 블랙잭 테이블만을 둘러보았다. 칩을 산처럼 쌓아 놓은 플레이어의 주변에는 수많은 구경꾼들이 운집해 있었다. 몇 개의 테이블 중에서 딜러의 느낌이 가장 좋은 곳을 정한 뒤, 나는 잠시 구경꾼들 틈에 섞여 살펴보기로 했다.

어제까지는 미니멈 5달러짜리 칩으로 연습을 해왔지만, 실전인 오늘은 그 열 배인 50달러부터다. 현재 환율은 1달러에 약 100엔, 즉 일본 엔으로 최소한 5,000엔부터 걸어야만 한다. 상당한 고액의 테이블이다. 어떻게 거느냐에 따라 내가 1년 동안 벌어들인 액수 따윈 순식간에 날릴 수도 있다. 베팅 금액이 적은 테이블은 룰을 잘 모르는 초보자가 플레이하기 때문에 딜러와 잡담을 나누는 등 화기애애한 분위기이지만, 베팅 금액이 큰 테이블에서는 플레이어와 딜러는 물론 구경꾼마저 긴장감이 감돈다.

'좋아, 인생을 걸기엔 아주 적합한 무대야.'

잠시 살펴보는 중에도 플레이어는 연신 들고나며 사라져 간다. 나는 딜러가 셔플하는 순간부터 카운팅을 시작해 봤다.

'5, 6, 7, 8…….'

수를 세는 동안 점점 플러스가 늘어 플레이어에게 유리한 상황이 전개되었다. 나는 마음을 정한 후 테이블의 가장 왼쪽 자리에 앉았다.

"체인지 플리즈."

그리고 엔화 20만 엔에 해당하는 2,000달러를 카지노 칩으로 바꿨다. 가슴이 터질 듯이 쿵쾅대기 시작한다.

자, 드디어 시작이다!

* * *

　50달러를 베팅하자 슈(shoe : 카드를 한 덱 이상 보유하기 위한 딜링 박스)에서 두 장의 카드가 분배되었다. 이 테이블의 슈에는 6덱이 들어 있다.

　'내 손에 들어온 패의 합은 14, 그리고 딜러의 페이스 업 카드는 6이니까⋯⋯.'

　아직 머리 움직임이 둔하다. 그사이 다른 플레이어가 익숙한 손놀림으로 신호를 보냈다. 나도 당황해서 집게손가락으로 테이블을 두드리며 '히트' 신호를 보냈다.

　'아차!'

　너무 긴장한 탓인지 실수를 저지르고 말았다. 수중의 카드는 7이 두 장, 그렇다면 카드를 둘로 나누는 '스프리트' 사인을 냈어야만 했다. 하지만 이미 늦었다. 무정하게도 테이블에서는 또 한 장의 카드가 분배되고 있었다. 그런데 내 패를 확인하는 순간 구경꾼 사이에서 '원더풀!' 하는 탄성이 새어나왔다.

　이럴 수가, 세 번째 카드 역시 7이었다. 모두 합해 21이 되는 쓰리세븐! 좀처럼 나오지 않는 최고의 패였다.

　'이건 기적이야!'

　태어나서 한 번도 느껴 본 적 없는 흥분과 설렘이 온몸을 휘감았다.

"오! 멋지군요!"

옆에서 플레이하던 뚱뚱한 백인 남자의 눈이 휘둥그레졌다. 나는 애써 여유로운 태도로 미소를 지었다. 뺨에 경련이 일어날 지경이었다.

30초도 안 되는 이 한 번의 승부로 50달러가 두 배인 100달러로 변한 것이다. 나는 끝까지 포커페이스를 유지하고 있는 딜러에게 팁을 내놓았다. 팁 사회인 미국답게 카지노에서도 크게 땄을 때나 테이블을 벗어날 때에는 신세를 진 딜러에게 팁을 주는 게 매너다. 나는 비록 최소액만 베팅했기 때문에 크게 딴 것은 아니지만, 이 아름다운 패에 대한 기념과 감사의 의미로 팁을 내놓은 것이다.

'좋은 징조일까, 혹시 나의 운을 너무 일찍 써버린 건 아닐까?'

진귀한 쓰리세븐 덕분에 이제 모두들 '이 여자, 보통 아닌데' 하는 눈빛으로 보기 시작했다. 그저 요행일 뿐이었는데, 설마 충분히 카운팅을 하고 만반의 태세를 갖춘 뒤 실전에 돌입한 '프로 겜블러'로 여기는 건 아니겠지. 어쨌거나 분위기가 달아오르자 여기저기서 구경꾼들이 모여들기 시작했다. 그들의 시선은 대부분 나에게 고정되어 있었다.

'어떡하지?'

남들의 시선은 익숙하지 않을 뿐더러 게임에도 방해가 된다. 딜러와 플로어에서 구석구석 눈을 번득이며 감시하고 있는 피트 보스(카지노 최고 감독자)에게 카드 카운터(블랙잭 게임에서 승산의 이동에 따라 베팅 형태를 바꾸며, 게임에 사용된 모든 카드를 암산하는 게임자)로 찍히면 이 소중한 기회마저 박탈당할 우려가 있기 때문이다. 라스베이거스에서는 카운팅이 사실상 금지되었지만, 현재까지는 아직 그렇게 엄격하지 않았다. 그래도 카지노 측에서는 카드 카운터들을 눈엣가시 같은 존재로 여긴다. 카운팅을 하고 있다는 사실이 들통 나면 그 자리에서 쫓겨날 수도 있는 것이다.

카지노에서는 카운팅에 대한 대비책도 강구하고 있는데, 예를 들어 '잦은 셔플'을 들 수 있다. 일반적으로 카드를 70~80퍼센트 정도 분배하고 나서 전부 셔플하도록 하지만, 카운터가 있다는 의심이 들면 50퍼센트나 그 이하에서 셔플을 한다. 그렇게 되면 애써 계산한 카운트가 다시 원점으로 되돌아간다. 극단적인 경우 매번 셔플하게 된다면 카운팅의 효과는 전혀 기대할 수 없게 된다. 하지만 실제로는 게임 진행이 더뎌져 수익률이 내려가기 때문에 셔플을 그렇게 자주 하지는 않는다.

카운터가 들통 나는 포인트는 먼저 시선의 움직임에 있다. 보통 사람은 자신의 카드만으로도 벅차지만 카드 카운터는 다른 플레이어의 패나 히트한 카드까지 꿰뚫고 있기 때문이다.

'티 안 나게, 티 안 나게……'

나는 마음속으로 주문을 외며 티 나지 않게 딜러와 다른 플레이어의 카드를 재빨리 읽어 나갔다. 하지만 사람들의 시선이 나의 일거수일투족에 집중될수록 긴장 때문에 점점 힘들어졌다. 그렇게 경직된 상태에서 게임이 몇 차례 진행되는 사이, 커다란 금반지를 낀 아시아계 남자가 내 옆에 떡하니 자리를 잡았다.

"체인지 플리즈."

그는 칩을 교환한 뒤 내게 물었다.

"어디서 오셨나요?"

"일본이요."

"그렇군요. 저는 중국입니다. 함께 즐겨 볼까요?"

그의 대범한 미소가 내 마음을 푸근하게 했다.

'그래, 철저히 즐기자.'

일생일대의 큰 무대가 아닌가, 위축되기에는 너무나도 아까운 시간이다. 나는 고도의 테크닉을 지닌 카드 카운터가 아니다. 멍청하게 실수도 잘 저지른다. 하지만 뭐 어떤가? 과감하게 부딪쳐 보는 거다. 나답게 거침없이 승부를 즐기자.

구경꾼들은 점점 내 편이 되어 나를 응원해 주고 있었다. 덩달아 나도 점점 타인의 시선과 응원을 은근히 즐길 수 있을 정도로 평정을 찾기 시작했다. 나는 지나가는 웨이트리스를 불러 오렌지 주스를 주문하고 팁으로 1달러를 건네는 여유까지 생겼다.

카지노에서 플레이하는 사람이라면 누구든 칵테일이나 맥주를 공짜로 마실 수 있다. 술을 좋아하는 사람이라면 더없이 행복한 일이겠지만, 사실 플레이어의 판단력을 흐리게 하거나 대범하게 만들어 계속해서 돈을 쏟아붓게 하기 위한 전략이다. 나는 주스를 단숨에 들이켜고 숨을 크게 내쉰 뒤, 파이팅을 외쳤다.

'좋아! 시작해 볼까?'

나는 본격적으로 게임에 집중하기 시작했다.

* * *

칩을 놓고 신호를 보낸다. 세세한 동작 하나하나 우아하고 침착하게, 그러나 머릿속은 초고속으로 풀가동하고 있다. 게임이 시작되자 세 명의 플레이어에게 각각 카드가 분배되었다.

현재 카운트는 플러스 3이다. 오른쪽 끝에 앉은 부인의 패는 8과 7, 다음 한 장이 2가 나와 합이 17로 스탠드, 그리고 옆자리의 중국 남자는 4와 8, 딜러의 페이스 업 카드를 보고 히트를 선택하자 세 번째 카드는 4, 네 번째는 6이 나오는 바람에 합이 '22'로 버스트가 되고 말았다. 나의 패는 J와 9, 합이 19로 스탠드, 그리고 딜러의 페이스 업 카드는 9, 페이스 다운 카드를 젖히자 5가 나오고 세 번째 카드는 Q가 나와 버스트가 되었다.

정리해 보자. 이번 판에서 카운트는 토털 플러스 6, 슈 속의 카드는 반 이상 분배되었을까?

'슬슬 승부수를 띄워 보자.'

나는 얼굴에 표시가 나지 않도록 침을 꿀꺽 삼켰다. 그리고 베팅액을 100달러로 올렸다. 100달러는 긴자에서의 하루치 급여다. 하지만 이제 그런 쩨쩨한 생각은 하지 않기로 한다. 이 자리에서 내가 가진 스킬, 운, 재산, 인생, 모든 것을 아낌없이 내놓는 것이다.

내게 분배된 카드는 7과 5, 합이 12, 그리고 딜러의 페이스 업카드는 5. 나는 손바닥을 아래로 향해 좌우로 흔들어 스탠드 사인을 냈다. 생각대로 딜러는 K를 빼내어 버스트가 되었다. 페이스 다운 카드는 10이었다. 내가 이겼다.

'좋았어!'

나는 마음속으로 쾌재를 불렀다. 다른 플레이어의 카드를 포함하여 카운트는 6으로 변함이 없다. 승부는 계속되었다. 나는 다시 100달러를 걸었다.

이번에는 나의 패가 5와 8로 합이 13이다. 딜러의 페이스 업카드가 J라서 버스트를 기대하며 스탠드했지만, 딜러는 운 좋게 5가 나와 페이스 다운 카드 6과 합해 '21'이 되었다. 이번엔 나의 패배다. 나는 탄식하거나 화내지 않고 포커페이스를 그대로 유지했다.

주사위를 수백 번, 수천 번 흔들다 보면 1부터 6의 숫자가 나올 확률이 각각 1/6에 가까워지듯 블랙잭의 카운팅도 게임이 거듭되면 될수록 평균치에 가까워진다. 그러니 단 한 번의 승부로 일희일비할 필요는 없다. 승부니까 당연히 질 때도 있다. 패배를 줄이고 승리할 타이밍을 가늠하여 한 번 크게 걸어 보자.

플레이어는 끊임없이 들어오고 나가지만, 나는 강태공처럼 흐르는 강에 낚싯대를 드리우고 단 한 번의 기회를 노리고 있다. 플레이어는 각양각색이다. 시종일관 깐깐한 표정으로 침묵을 지키는 노인이 있는가 하면, "라스베이거스에는 자주 오나요?" 하며 서글서글하게 말을 건네는 쾌활한 청년도 있다.

나는 신경을 빼앗기지 않고 계속해서 카운팅을 했다. 히트와 스탠드를 반복하자 나의 칩도 늘었다 줄었다를 반복한다. 카운트도 오르락내리락 한다. 칩이 떨어질 때마다 나는 몇 번이나 추가로 환전을 했다.

밤이 깊어지면서 카지노에는 사람들이 점점 많아졌다. 인파가 절정에 달했을 무렵, 나에게 최대의 기회가 주어졌다. 서서히 늘고 있던 카운트가 드디어 플러스 10을 넘은 것이다.

'이때다!'

나는 과감하게 500달러를 베팅했다.

뒤에 선 구경꾼들이 웅성거리기 시작했다. 곧이어 분배된 카드는 5와 6으로 11, 이제 10점짜리 하이 카드가 나오면 21이 되는 찬스 카드다. 딜러의 페이스 업 카드는 K였다. 하이 카드가 아직 많이 남아 있는 지금의 상황이라면 더블다운을 해야만 한다. 하지만 그렇게 하려면 500달러를 더 베팅하지 않으면 안 된다. 즉 합계 1,000달러를 걸어야 하는 것이다. 이기면 두 배, 지면 1,000달러를 순식간에 날리게 된다.

'더블다운을 할 것인가, 말 것인가.'

나는 스스로에게 되물었다. 하지만 나의 손은 이미 500달러 칩을 쥐고 있었다.

'주저할 때가 바로 승부를 걸어야 할 때!'

그래, 여기서 걸지 않고 어떻게 승부를 기대하겠는가? 막판의 담력은 누드모델로 배양된 나의 무기가 아니겠는가. 내가 500달러 칩을 추가하자 '와!' 하는 탄성이 울려 퍼졌다. 곧이어 세 번째 카드가 주어졌다. 나의 시선은 물론 모두의 시선이 카드에 집중되었다.

…… 하이카드 10이 나왔다. 합이 21! 그리고 딜러는 Q가 나와 페이스 다운 카드인 4와 합해 24가 되어 버스트!

"원더풀!"

여기저기서 박수갈채가 터져 나왔다. 나는 심장이 터질 것만 같았다. 가까스로 진정한 뒤 나는 딜러에게 팁으로 200달러를 건네주었다. 귀부인이라도 된 양 우아하고 품위 있게. 그러자 어느 틈엔가 옆자리로 옮겨 온 영국 신사가 어깨를 으쓱하며 물었다.

"그렇게 쓰면 남편이 뭐라고 하지 않나요?"

나는 웃으며 "네, 괜찮아요"라고 대답했다. 내가 부잣집 안주인으로 보이는 모양이다. 어떻게 생각하든 나는 지금 이 순간을 누구보다 확실히 즐기고 있었다. 긴장 때문이 아니라 기쁨에 겨워 몸이 떨린다. 뇌 속에서 아드레날린이 한꺼번에 방출되어 찌릿찌릿 저릴 정도로 흥분이 된다.

자, 이제 또 다른 한 판이 시작된다. 나는 세상의 소리와 단절된 채 점점 게임의 세계로 빠져들었다.

·

새로운 시작은
5달러로도 충분하다

시간이 얼마나 흘렀을까.

손목시계의 알람 소리에 나는 불현듯 현실 세계로 돌아왔다. 너무 집중한 탓인지 머리가 지끈지끈 쑤신다. 시계는 정확히 11시 59분을 가리키고 있었다. 오후 8시부터 4시간 동안 꼼짝 않고 게임에만 몰두하고 있는 사이 벌써 자정이 다 된 것이다. 나는 시계에서 눈을 떼지 못했다. 그리고 마침내 시간이 바뀌었다.

'12:00'

이제 새로운 하루가 시작됐다.

내가 느꼈던 모든 설렘과 두려움과 기쁨도 이제 모두 '어제'가 되어 흘러가 버렸다. 다시 오지 않을 내 인생의 진정한 하루가 끝난 것이다. 게임오버.

"고마웠어요."

나는 미련 없이 자리에서 일어났다. 그리고 수중의 칩을 모두 회수했다. 환전을 몇 번이나 거듭했는지, 이제 얼마를 따고 얼마를 잃었는지 가늠조차 할 수 없었다. 서둘러 칩을 현금으로 바꾼 뒤, 나는 롯폰기의 맘처럼 돈다발을 되는대로 마구 백에 쑤셔 넣었다. 피곤했다. 얼른 방으로 돌아가고 싶었다. 모든 사고와 감각이 정지된 기분이었다. 길고 긴 복도를 지나 방으로 돌아오자마자 나는 그대로 침대 위에 고꾸라지고 말았다.

······모두 끝났다. 인생의 대승부도 끝나고, 나의 20대도 영원히 끝나 버렸다. 머릿속엔 수많은 생각과 감정들이 터질 듯이 들어차 있었다. 나는 그 생각들을 잠시 보류하기로 했다. 하지만 잠시 후 호기심이 밀려왔다.

'얼마나 잃었을까?'

나는 백을 열어 침대 위에 거꾸로 뒤집었다. 100달러짜리 지폐가 와르르 쏟아졌다. 방금 지나간 마지막 하루, 아니 지난 1년 내 인생의 총결산이다. 나는 지폐를 한 장 한 장 세기 시작했다.

한 장, 두 장, 세 장······ 내가 카지노에 가지고 갔던 액수는 총

1만 달러였다. 100달러 지폐로 세면 딱 100장이다.

스물하나, 스물둘, 스물셋…… 참 신기했다. 공공요금도 제때 못 내던 내가 지폐 다발을 세고 있다니. 일흔일곱, 일흔여덟, 일흔아홉…… 지폐는 아직 몇 장 더 남아 있다. 이제 곧 답이 나온다. 백 장에서 멈추면 나의 패배, 넘으면 나의 승리다.

아흔일곱, 아흔여덟, 아흔아홉, 그리고…… 백!'

이럴 수가, 정말 100장이란 말인가? 나는 믿을 수가 없었다. 카지노에 가지고 갔던 것과 딱 맞아떨어지는 액수였다.

'아냐, 그럴 리가 없어.'

나는 다시 천천히 돈을 셌다. 그러나 이번에도 역시 거짓말처럼 100장이었다. 우연치고는 정말 기가 막힌 우연이었다.

'뭔가 잘못된 게 아닐까?'

나는 다시 백을 뒤집어 탈탈 털었다. 그러자 꼬깃꼬깃한 지폐 한 장이 더 나왔다.

'더 있었어!'

나는 허겁지겁 지폐를 펼쳤다. 그것은 5달러짜리 지폐였다.

'5달러……'

100달러 지폐가 100장이니까 최종적으로 1만 5달러! 결국 내가 딴 돈은 달랑 5달러였다. 이것이 내 성과의 전부였다. 물론 딜러한테 기세 좋게 건넸던 팁을 포함하면 더 땄을지도 모른다.

하지만 지금 내 수중의 순이익은 5달러뿐이다.

나는 꼬깃꼬깃한 5달러 지폐를 물끄러미 들여다보았다. 지폐 속 링컨의 얼굴도 꼬깃꼬깃 주름져 있었다. 갑자기 그가 내게 말을 건넬 것만 같다.

"승리를 축하한다, 아마리!"

무수히 많은 사람의 손을 거쳐 왔을 이 5달러짜리 지폐가 갑자기 나를 뭉클하게 했다. 1년이라는 치열한 시간을 환전해서 여기까지 날아와 인생을 건 도박 끝에 5달러를 번 것이다.

'……그래, 이긴 거야. 달랑 5달러지만 난 이긴 거야!'

나는 지폐를 양손에 번쩍 들고 불빛에 비췄다. 고작 햄버거 하나 정도의 가치일 뿐이지만, 지금의 나에겐 세상에서 가장 의미 있는 종잇조각인 것이다.

느닷없이 웃음이 터져 나왔다.

'……이겼다! 인생 최대의 승부에서 승리한 거야!'

나는 큰 소리로 미친 듯이 웃으며 침대에 흩뿌려진 100달러 지폐를 위로 내던졌다. 지폐가 너울대며 내 머리 위로 쏟아졌다. 그것은 돈이 아니라 마치 팔랑팔랑 춤추는 파티용 색종이 같았다. 나는 계속해서 머리 위로 돈을 뿌렸다. 그리고 휘날리는 지폐 속에서 나에게 소리쳤다.

'Happy birthday to me!'

* * *

D+1일.

라스베이거스에서의 시간은 모두 끝이 났다. 다음 날 아침 눈을 떴을 때, 침대 위에는 100달러짜리 지폐들이 어지럽게 널려 있었다. 나는 부스스한 얼굴로 일어나 창문을 활짝 열었다. 사막의 더운 바람이 방 안으로 쏟아져 들어왔다.

'이제 뭘 해야 하나.'

연극이 다 끝난 뒤 혼자 무대 위에 서 있는 느낌이었다. 지난 1년 동안 단 하루도 계획 없이 눈을 뜬 적이 없었다. 늘 해야 할 일이 있었고, 시간은 언제나 부족했다. 그런데 지금 이 순간, 나는 영원처럼 무한한 시간 속에 서 있다. 문득 〈바람과 함께 사라지다〉에서 스칼렛 오하라가 했던 마지막 대사가 떠올랐다.

'Tomorrow is another day.'

나는 다시 말을 바꾸어 조용히 속삭였다.

"Today is another day."

그리고 가방을 열어 플라스틱 통을 꺼냈다. 그것은 바로 이 시간을 위해 꼭꼭 숨겨 두었던 강력 수면제였다. 나는 테이블 위에 약통을 올려놓았다. 그리고 침대 위에서 꼬깃꼬깃한 5달러짜리 지폐를 찾아 약통 옆에 나란히 놓았다. 그런 다음, 나는 멀찌감치 떨어져서 약통과 5달러를 한참 동안 바라보았다.

예정대로라면 나는 지금 통에 든 알약을 모조리 입 안으로 털어 넣어야 한다. 그럴 각오로 오늘 이 순간까지 내처 달려온 것이다. '기꺼이 죽겠다'라는 각오가 없었으면, 나는 지난 1년 중 단 하루도 온전히 살아 내지 못했을 것이다. 계획했던 모든 일들을 완수했고, 목표했던 결승선까지 완주한 지금, 나에겐 최후의 선택만이 남았다.

'어째서 5달러를 땄을까?'

어제의 치열한 게임에서 획득한 5달러짜리 지폐가 갈수록 커다란 의미로 다가왔다. 날고 긴다는 카지노의 딜러와 대결해서 몽땅 털리기는커녕 5달러를 땄다는 것이 도대체 어떤 의미일까? 솔직히 나는 완전히 잃거나 대박을 터뜨리는 것, 그 두 가지 경우의 수만 생각했다. 하지만 내 예상은 보기 좋게 빗나가고 5달러라는 수수께끼만 남았다.

불현듯 내 마음 깊은 곳에서 이런 목소리가 들려왔다.

'사실은 비긴 것이다. 하지만 너에게 5달러를 남겨 준다. 그러니 이제 다시 너의 게임을 시작하라.'

나는 그 5달러를 '새로운 시작'의 상징으로 해석했다. 500달러도 아니고 5천 달러도 아니다. 달랑 5달러이기 때문에 더욱 의미가 큰 것이다. 그것으로 충분하다.

체크아웃 시간이 다가왔을 때, 나는 화장실로 들어가 플라스틱 통에 들어 있는 하얀 알약들을 모두 변기에 쏟아붓고 물을 내렸다. 나 스스로 정했던 약속들이 알알이 쓸려 내려갔다.

나는 이제 더 이상 죽지 않기로 했다. 카지노에서 이겼기 때문이 아니다. 다만 이번에는 '죽지 않는 쪽'을 선택한 것이다. 1년 전 3평짜리 원룸에서 식칼을 손목에 갖다 댔을 때의 나와 지금의 나는 같은 사람이 아니다.

내가 알던 그녀는 어제 죽었다. 이로써 나는 '또 다른 오늘'을 얻었고, 인생의 연장전을 이어가게 되었다.

서른 살 첫날, 내가 받은 선물은 '생명'이었다.

'끝이 있다'라는 것을 인식하는 순간, 인생의 마법이 시작된다

D+2일.

나는 집으로 돌아왔다. 내가 나에게 걸었던 1년간의 마법은 이제 다 풀렸다. 마차는 호박으로, 라스베이거스의 궁전은 3평 짜리 원룸으로 변했다.

방 안에는 떠나기 전과 다를 바 없이 후텁지근한 공기와 눅눅한 냄새가 고여 있었다. 나는 커튼을 젖히고 창문을 열었다. 그리고 먼 산을 바라보았다. 문득 장자의 호접몽이 떠올랐다.

'내가 라스베이거스의 나를 꿈꿨던 것일까, 아니면 라스베이거스의 내가 지금의 나를 꿈꾸고 있는 것일까?'

나의 목표와 모든 계획은 라스베이거스까지였다. 나는 거기서 죽으려 했고, 그 다음은 없었다. 그래서 지금 내가 숨 쉬고 있는 이 순간은 인생의 '덤'이다. 다시 포맷한 머릿속에는 아무런 계획도, 목표도 들어 있지 않았다. 하지만 하얗게 비어 있는 내면의 허공 속에서 알 수 없는 에너지가 느껴졌다.

'뭔가 달라졌어.'

그날 오후, 나는 클럽 사와를 찾아가 마담에게 일을 그만두겠다고 말했다. 라스베이거스라는 목표가 시효를 다했으니 더 이상 호스티스를 해야 할 이유가 없었다. 마담은 '왜?'라고 묻지 않았다.

"처음부터 알았어. 아마리가 여기서 쭉 일하지는 않을 거라는 걸. 손님들도 그래서 아마리를 좋아했던 것 같아."

"무슨 뜻인지……."

"말하지 않아도 알 수 있는 게 있잖아. 가슴속에 아주 분명한 무언가를 품고 있으면 반드시 표시가 나게 돼 있어. 사람들은 그런 힘에 마음이 끌리거든."

그러면서 마담은 내 손을 꽉 쥐며 "힘차게 살아요"라고 말했다. 그 순간 나는 클럽이라는 직장을 버린 대신 '인생의 언니'를 얻게 되었음을 깨달았다.

"자주 놀러올 거지? 손님이 아니라 친구로."

"그럼요. 제가 친구라고 말할 수 있는 사람들은 죄다 여기 있잖아요."

마침 레이나와 치카, 메구미가 떼거지로 몰려왔다.

"아마리, 왜 가? 가지 마!"

이 소중한 친구들과 헤어지기는 싫었지만 영원한 이별은 아니다. 가는 길은 달라도 앞으로 쭉 인연을 이어갈 수 있을 것이다.

다음 날, 나는 모델 에이전시를 찾아가 "그동안 고마웠어요"라고 말했다. 돌이켜 보면 태어나서 처음으로 남들 앞에서 옷을 벗는 그 순간부터 나의 자신감이 표출되기 시작한 것 같다. '해보기 전엔 절대로 알 수 없는 것'이 있다는 것, 그리고 '사람은 뭐든지 할 수 있다'는 것도 그때 알았다.

다음으로 찾아간 곳은 파견회사였다. 회사를 그만둬야 할지 말아야 할지에 대해서는 약간의 망설임이 있었다. 요즘처럼 취업난이 심각한 시기에, 그래도 근무조건이나 급여를 볼 때 이만한 회사를 찾기도 쉽지 않았기 때문이다. 하지만 나는 모든 것을 새롭게 시작하고 싶었다.

그런데 아이러니컬하게도 회사를 그만두겠다고 하자 '정사원으로 입사할 생각은 없나요?'라는 제의가 들어왔다. 정말 뜻밖이었다. 지난 1년 동안 한눈팔지 않고 시간을 쪼개 가며 일만 하던 나를 두고 회사에서는 '별종이지만 일 잘하는 슈퍼 파견사원'이란 평가를 해왔던 것이다.

"대단히 감사합니다만, 다른 계획이 있어서요."

회사를 그만두던 날, 나는 과감하게 사장실 문을 두드렸다.

"퇴직 인사드리러 왔습니다."

그러자 K사장은 놀라는 눈치였다. 일개 파견사원이 사장에게 퇴직 인사를 하러 오다니, 특이할 법도 했을 것이다. 사장은 잠시 의아한 표정을 짓더니 문득 생각난 듯 말했다.

"혹시…… 아마리?"

나는 대답 없이 미소를 지으며 "그동안 감사했습니다"라고 말했다. 그리고 꾸벅 인사를 하고 사장실을 나왔다.

그가 나를 알아봤을까? 나를 아마리라고 확신했을까? 그건 모르겠다. 하지만 구태여 확인하지 않는 편이 서로에게 낫다는 것을 알고 있었다.

1년 동안 나를 목표 지점까지 갈 수 있게 해준 모든 수단들과 작별한 뒤, 나는 다시 벌거벗은 기분으로 세상 앞에 섰다. 아직은 어떤 길로 가야 할지 알 수 없다. 하지만 분명한 것은, 길이 아주 많다는 것이다.

D+1년

다시 1년이 흘렀다. 서른한 살.

나는 지금 오다이바의 전경이 한눈에 내려다보이는 인텔리전트 빌딩 창가에 서 있다. 그사이 나는 파이낸셜플래너 자격을 취득했고, 세상 물정 어두운 엄마까지도 이름을 알고 있는 글로벌 회사에서 정사원으로 일하고 있다.

하늘에는 라스베이거스를 떠올리게 하는 한여름의 태양이 눈부시게 타오르고 있다. 빛과 열기를 피해 모두가 그늘을 찾고 있지만, 해바라기는 태양을 향해 고개를 꼿꼿이 세운 채 꿋꿋하게 서 있다. 그리고 멀리 공원의 숲속에서는 일주일밖에 못 산다는 매미가 끝없이 울부짖고 있다. 하늘 아래 모든 것들이 자신에게 주어진 생을 온몸으로 살아가고 있다.

　나 또한 스스로 정한 시한부의 삶이 끝나던 날부터 쭉 남은 생을 살아가고 있다. 이것은 인생의 연장전이며, 목숨이 다하는 날까지 계속될 것이다.

　나는 지금도 가끔 라스베이거스에서의 6일을 떠올리곤 한다.

　기나긴 인생에서 6일이라는 시간은 아무것도 아닐 수 있다. 그 시간 동안 방바닥에 드러누워 만화책을 볼 수도 있고, 술에 취해 비틀거릴 수도 있으며, 우리에 갇힌 짐승처럼 자포자기하며 지낼 수도 있다. 예전의 나는 수많은 세월을 그렇게 휴지조각처럼 살았었다. 남은 인생마저 계속 그럴 거라면 그냥 죽는 것과 다를 게 하나도 없었다. 그래서 나는 나 자신에게 '라스베이거스에서 아낌없이 불태우고 죽으리라'는 주문을 걸었고, 매일매일 디데이를 향해 카운트다운을 가동했다. 그리고 그 마법은 통했다. 이제 나는 마법을 믿는다.

　인생에서의 마법은 '끝이 있다는 것'을 의식하는 순간부터 시작된다는 것을 나는 몸으로 깨달았다. 그 사실을 알기 전까지 나는 '끝'을 의식하지 못했고, 그래서 시간을 헛되이 흘려보내기만 했었다. 아무런 비전도 없이 노력은커녕 비관만 하며 그저 되는 대로 살았었다. 하지만 D-365, D-364, D-363…… 카운트다운이 시작되면서부터 나는 치열하게 내달릴 수 있었다.

생각해 보면 정말 난폭한 방식의 자기개혁이었지만, 말 그대로 죽을힘을 다했기 때문에 라스베이거스 행 비행기에 오를 수 있었다. 그리고 그 사막의 판타지 공간에서 보냈던 20대의 마지막 6일이 나를 바꿔 버렸다.

나는 단 6일을 위해 1년을 살았고, 삶을 끝내기 위해 6일을 불태웠다. 그 끄트머리에서 '20대의 나'는 죽고 30대의 내가 다시 살아났다. 이제부터 맞이하게 될 수많은 '오늘들'은 나에게 늘 선물과도 같을 것이다. 나는 죽는 순간까지 '내일'이란 말을 쓰지 않을 것이다. 앞으로 나의 인생은 천금 같은 오늘의 연속일 테니까.

삶이 있는 한 희망은 있다. - 키케로

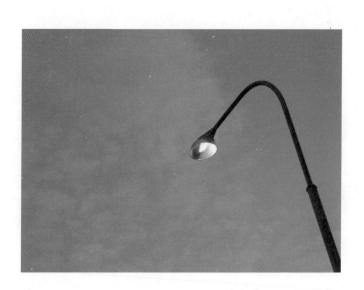

장은주

동의대학교를 졸업하였으며, 일본어 통번역 프리랜서로 활동하다가 활자의 매력에 이끌려 번역의 길로 들어섰다. 옮긴 책으로는 『중년수업』 『어느 날, 내가 죽었다』 『살면서 포기해야 할 것은 없다』 『인생에 대한 예의』 『상대를 꿰뚫어 보려면 디테일이 답이다』 『병에 걸리지 않는 면역생활』 등이 있다.

스물아홉 생일, 1년 후 죽기로 결심했다

초판 1쇄 발행 2012년 7월 20일
초판 146쇄 발행 2024년 5월 21일

지은이 하야마 아마리
옮긴이 장은주
펴낸이 최순영

출판1 본부장 한수미
와이즈 팀장 장보라

펴낸곳 ㈜위즈덤하우스 **출판등록** 2000년 5월 23일 제13-1071호
주소 서울특별시 마포구 양화로 19 합정오피스빌딩 17층
전화 02) 2179-5600 **홈페이지** www.wisdomhouse.co.kr

ⓒ 하야마 아마리, 2011

ISBN 978-89-5913-689-6 03830